# CELULAR, DOCE LAR

Rosana Hermann
CELULAR, DOCE LAR
se vc vive no seu telefone
tá na hora de discutir essa relação
SEXTANTE

*edição:* Nana Vaz de Castro

*revisão:* Ana Grillo e Ana Kronemberger

*projeto gráfico, diagramação:* Natali Nabekura

*quadrinhos:* André Dahmer

*imagens de capa:* blackzheep/Shutterstock (mão), VOOK/Shutterstock (fundo do WhatsApp), emojipedia.org (emojis), freepik (celular)

*impressão e acabamento:* Geográfica e Editora Ltda.

CIP-BRASIL. CATALOGAÇÃO NA PUBLICAÇÃO
SINDICATO NACIONAL DOS EDITORES DE LIVROS, RJ

---

H473c Hermann, Rosana
Celular, doce lar / Rosana Hermann; ilustrações de André Dahmer. Rio de Janeiro: Sextante, 2018.
176 p.: il.; 16 x 23 cm.

ISBN 978-85-431-0638-0

1. Crônicas brasileiras. I. Dahmer, André. II. Título.

18-50766 CDD: 869.8
CDU: 82-94(81)

---


Rua Voluntários da Pátria, 45 – Gr. 1.404
Botafogo – 22270-000 – Rio de Janeiro – RJ
Tel.: (21) 2538-4100 – Fax: (21) 2286-9244
E-mail: atendimento@sextante.com.br
www.sextante.com.br

*Para Isaac, Gabriel e Anita, meu marido*
*e meus filhos, minhas maiores fontes de amor.*
*Por eles eu acordo, corro, crio, escrevo,*
*respiro e existo todos os dias da minha vida.*

*E para meus pais, que me deram esta vida.*

# SUMÁRIO

# PREFÁCIO

TÃO BOM PODER falar de alguém que a gente admira. A Rosana Hermann é... Peraí, só um minuto que tá tocando aqui meu celular. Pronto, desliguei. Desculpe. Era minha mãe. Depois eu falo com ela. Mas então, o que a Rosana... Tá ligando de novo. Alô. Oi, mãe, fala rápido que eu tô no meio de... Sei. Tá. Mãe, eu realmente não... Não sei quem é a tia Alzira. Depois eu te ligo. Beijo! Desculpe, mas a minha mãe sempre que liga fala horas. Onde a gente estava? Rosana, isso! Bom, a Rosana Hermann é uma pessoa incrível que está sempre um passo à frente de... Mandaram uma mensagem aqui. Depois eu vejo. Será que é da reunião de hoje? Peraí. Segura que eu já falo da Rosana, só um minuto... Não vou poder ir às 17h... Ih, desculpe digitei aqui e era no WhatsApp. Pronto. Foi. Só o e-mail aqui que eu preciso responder senão o pessoal lá... Pronto. Resolvido. Rosana. Vamos lá. Deixa eu só ver se tá tudo certo aqui... Era notificação de atualização. Eu atualizo depois. Bom, pronto. Que que era mesmo? Rosana! Isso! Ótima ela. Tudo o que ela pensa é... Mãe, eu não posso falar agora! Eu não conheço a tia Alzira. Eu vou no almoço domingo, deixa eu trabalhar aqui que eu tô cheio de coisa. Eu te ligo assim que acabar. Tô escrevendo sobre a Rosana. Hermann. Tá ótima ela. Tá lançando um livro sobre celular. Eu mando um beijo pra ela. Pode deixar. Tá, mãe. Também, tchau. Rosana, minha mãe te mandou um beijo e disse que quer ler seu livro. Disse que te liga ainda hoje. Ou manda mensagem. Ou e-mail. Ou whats. Ou te marca no Insta. Ou no Face. Enfim... Bom, agora sim. Ih, tá acabando minha bateria. Alguém tem um carregador? Eu preciso falar sobre o livro da Ros

— Fábio Porchat

QUADRINHOS DOS ANOS 10

INTRODUÇÃO

# ACHO QUE PASSEI DO LIMITE

ESTA MANHÃ, LEVANTEI da cama assim que meu celular tocou no criado-mudo. Verifiquei as notificações e fui me preparar para começar o dia. Durante o café, li todos os tweets da noite anterior, respondi mensagens do meu Stories com corações, cliquei em alguns links de notícias e capturei um monstrinho no meu Pokémon Go. Terminei meu omelete e joguei uma partida de buraco on-line. Ganhei. Me animei para tomar mais uma xícara de café e fazer um Sudoku. Pretendo chegar, em breve, ao nível avançado.

Vi a previsão do tempo no aplicativo, escolhi a roupa que iria usar durante o dia e me vesti para a academia. No caminho, fui respondendo aos vários grupos de WhatsApp de trabalho. Assim que cheguei, fui para as bicicletas ergométricas, que deixam as mãos livres para responder mensagens.

Ao pegar a ficha de exercícios na gaveta dos alunos, percebi que minha série, como os Pokémons, havia evoluído: de três repetições com carga fixa para quatro repetições com aumento progressivo de carga. A primeira coisa que pensei foi que o treino seria mais demorado. A segunda foi que eu teria mais intervalos para dar uma checada no smartphone.

Logo no primeiro descanso, um instrutor me viu em pé ocupada com a tela do telefone e perguntou, elegantemente, se estava tudo bem, se eu precisava de alguma coisa. Estava tudo bem, e sim, eu precisava de alguma coisa, no caso, ajuda para focar no treino e deixar o celular de lado. Botei o dito na bolsinha e continuei. Fui para o aparelho de braço, mas tive que esperar enquanto uma moça usava o equipamento como cenário para tirar uma selfie. Aproveitei aqueles segundos para checar o Twitter mais um pouco. Minha filha, que treina comigo, passou e brincou dizendo que eu estava jogando em vez de me exercitar. Fiquei tão envergonhada que deletei o vídeo que ia postar no Stories. Três mensagens de WhatsApp pularam na tela, duas delas de "Bom dia!".

Em minha defesa, fiz a série inteira, mas com que qualidade? Será que o benefício não teria sido maior se eu tivesse aumentado a concentração e diminuído a distração? Será que num dia de 24 horas eu não posso reservar uma hora para a academia sem ficar postando, lendo ou jogando de minuto em minuto no celular? Será que eu esqueci que fui diagnosticada com osteoporose e, mais do que querer, *preciso* fazer musculação na academia? Em que momento a distração passou a ser mais importante do que a saúde?

Considerando que a academia é cara e que sou eu que pago, não é meio besta gastar dinheiro e não usar o serviço direito? E por que eu levo o celular para a academia, para começo de conversa? Vou cedo, antes do horário comercial, qualquer comunicação de trabalho pode esperar. Não existe necessidade, é vontade, capricho. É hábito.

Voltei da academia andando, pensando e tentando não interagir com a tela no caminho, até porque usar o celular na rua é perigoso: um levantamento feito em 2016 mostrou que roubos de celulares acontecem em metade das ruas de São Paulo. Foi difícil, porque ouvi uns quatro ou seis bips de notificações. Provavelmente o Facebook, o Messenger e meu e-mail.

Cheguei ao meu prédio e, enquanto subia pelo elevador (ainda bem que o 4G pega!), abri as notícias e vi que, na Índia, um homem foi morto por um elefante ao tentar tirar uma selfie com ele. A história é chocante. Ele viu o elefante comendo na beira da estrada, desceu do carro e começou a provocar o animal para fazer uma selfie. Havia muita gente olhando a cena – inclusive gravando vídeo com o celular mostrando o homem provocando o bicho, o elefante se aproximando do homem – mas ninguém fez nada. O elefante, provavelmente assustado, atacou e matou o homem. Um horror, uma tristeza.

Ao clicar no vídeo – que não recomendo a ninguém assistir –, a palavra que veio à minha cabeça foi "limite". Os anúncios de venda de pacotes de dados para celular vivem oferecendo "internet ilimitada", e talvez isso nos tenha levado a achar que podemos mesmo usá-los sem restrições. Mas a verdade é que se a internet e o celular podem ser maravilhosamente ilimitados, nós não. Nós precisamos de limites. Limite de velocidade para não dirigir como loucos e matar pessoas no trânsito; limite de ingestão de alimentos para não comer demais e sobrecarregar os órgãos do corpo; limite financeiro para não gastar mais do que temos; limite verbal para não ofender o outro. Limite de ousadia, de loucura, de tudo. Limites não são necessariamente ruins ou fruto de censura e autoritarismo. Limites podem impedir que crianças se tornem monstrinhos despóticos e que adultos se comportem de maneira abusiva. Limites são regras, leis, que as sociedades definem para que todos possam conviver com o máximo de justiça, liberdade e igualdade.

Limite é o que eu preciso para usar esta dádiva da criação humana chamada celular. Quero usá-lo sempre, mas com sabedoria, a meu favor. Quero impedir que o uso excessivo desse aparelho abençoado me cause outros problemas além dessa dor no pescoço que venho sentindo desde 2007.

Enquanto o celular e a tecnologia como um todo nos trouxerem coisas boas, devemos usar tudo o que pudermos. O que não podemos, o que não devemos, o que não queremos é transformar o uso em abuso. Porque nosso corpo e nossa vida também têm limites. Eis aí um ensinamento que eu poderia ter aprendido logo cedo, se tivesse prestado atenção na carga da remada supinada na polia baixa em vez de capturar um Pikachu de touquinha.

Tem alguma coisa fora da ordem na minha, na sua, na nossa relação com o celular e, ao que tudo indica, a culpa não é do elefante.

Não há culpados, na verdade, porque não é uma questão de culpa. O que há é um novo comportamento mundial em relação ao celular e que ainda é recente em termos históricos e, por isso mesmo, precisa ser discutido e estudado.

Estamos todos nos adaptando a esse pequeno aparelho móvel que gerou mudanças permanentes para a humanidade. Não é exagero. A combinação do celular com a internet alterou totalmente nossas vidas. Não existe um único aspecto, seja em termos de segurança, comunicação, entretenimento, educação, cidadania, só para citar alguns, que não tenha sido afetado por esse combo.

O celular é tão útil, entretém tanto, é tão presente e cheio de possibilidades cada vez mais ricas que a vida sem ele se tornou inconcebível. Inclusive de forma retroativa, pois não conseguimos compreender como um dia pudemos viver sem ele.

O processo de mudança foi gradativo. Primeiro, incorporamos o celular como uma extensão de nossas mãos. Depois, passamos a dedicar mais tempo do nosso olhar para sua tela. Em seguida mergulhamos de cabeça nas redes sociais e, como uma Alice no País das Maravilhas, finalmente "caímos para dentro" dele.

Agora estamos todos morando nos nossos celulares. Vivemos boa parte de nossos dias nessa outra dimensão, que, mesmo não atendendo a todos os nossos sentidos, costuma ser muito mais divertida e segura do que a realidade ao nosso redor.

É gostoso morar no celular e saber da vida dos outros que ali estão. É bem parecida com a vida do lado de fora, só que com mais emoção. Se você não gostar de algo ou alguém, é só excluir, bloquear, não clicar, deixar de seguir, esconder. Dá vontade de passar o dia todo na janelinha papeando com os infinitos vizinhos que passam pelas nossas linhas do tempo e vendo a vida das pessoas em seus perfis.

O problema é que nosso tempo é finito. Os dias só têm 24 horas e a vida, com sorte e saúde, dez décadas. E, como o tempo que passamos no celular – seja jogando, conversando, vendo fotos e vídeos ou só dando um rolê, mas sempre com olhos presos na tela – é cada vez maior, o tempo que sobra para interagir no mundo 3D diminui cada vez mais.

Claro, não há nenhum problema em usar o celular diariamente, em não desligá-lo, em consultá-lo frequentemente, em amá-lo ou em morar dentro dele. O celular é mesmo uma invenção genial e não vou abrir mão dele. Mas quero fazer uma D.R.

Estamos vivendo uma era de questionar e problematizar tudo, o que é ótimo. Com tantas informações novas, tantas mudanças, faz sentido a gente se perguntar, o tempo todo, se as regras que valiam antes ainda valem, se nossas escolhas ainda fazem sentido ou precisam de revisão, se estamos vivendo nossas vidas ou se estamos nos deixando levar sem perceber.

Minha intenção ao escrever este livro foi questionar nossa relação com o celular, o tempo que estamos dedicando a ele, o quanto dessa dedicação é consciente ou não. Será que temos ideia de quantas horas por dia passamos diante de sua tela iluminada? Quantas interações realizamos todos os dias? Somos nós que estamos no controle, ou o celular, as notificações, as outras pessoas que nos solicitam é que têm o controle sobre nós?

No processo para responder a essas e tantas outras perguntas, aprendi muito, lendo livros, artigos, posts, conversando com pessoas, trocando mensagens e ideias. Descobri coisas deliciosas, surpreendentes, assustadoras, inclusive sobre mim mesma. Ao me colocar como objeto de estudo, percebi que, só de instalar um aplicativo que monitora o tempo de uso do celular, meu comportamento já se alterou. Como se o app fosse minha mãe me vigiando e, a cada interação, dizendo: "Menina! Larga esse telefone e vai fazer a lição!" Porque, em muitas ocasiões, eu realmente tinha "lição" para fazer e me perdia em distrações no labirinto hiperbólico dos links e likes.

É imprescindível, no ambiente da internet, ser dona da própria vida e ter consciência de que o que estamos fazendo é uma escolha nossa. Porque tudo o que você vai encontrar no seu celular, em todos os aplicativos, redes e sites, foi projetado para prender você o máximo de tempo, produzindo o máximo de dados, para expor o máximo de publicidade, para que você consuma o máximo possível. Esse é o jogo. O tempo todo. "Ah, mas eu não gasto dinheiro no celular, só uso coisas grátis!" Então, não tem "grátis" na internet. Como diz o velho ditado de marketing: "Não existe almoço grátis; se o almoço for grátis, o almoço é você."

O objetivo deste livro não é demonizar o celular, nem "almoçar" o leitor. Assim como você e mais 5 bilhões de humanos, eu também estou morando no meu celular. Mas, exatamente por passar tanto tempo da minha vida nesse "lugar", quero saber exatamente quem são as pessoas com as quais convivo, a confiabilidade das coisas que consumo, a credibilidade das informações que acesso e, principalmente, se tem pessoas dentro da minha própria casa me mantendo em cárcere privado. Por melhor que seja essa "casa", eu quero ter uma vida fora dela também. Quero poder entrar e sair do celular sem sofrer, sem pedir permissão, sem medo de estar perdendo alguma coisa.

Vou continuar a usar meu smartphone sempre que tiver vontade, necessidade, curiosidade, mas com consciência de que a decisão é minha, e não de algum algoritmo que explora as vulnerabilidades do meu cérebro.

Quero ser feliz também nesse lugar, meu celular, doce lar.

**Mauricio Meirelles**
ator e comediante

Acredito que a pior coisa sobre o celular é que vivemos hoje ao contrário. Explico: antigamente tinha um negócio chamado Vida, não sei se conhecemos mais. E aí, quando precisávamos nos "desconectar" era o momento em que nos conectávamos. Entrávamos no ICQ, msn, etc. para sair da nossa realidade.

Agora, vivemos ao contrário. A gente já acorda conectado, mas desconectado de tudo. Quando a gente fala "preciso me distrair um pouco", é quando resolve ir a uma praia ou até mesmo fazer um trabalho.

Isso gerou consequências bizarras. Ter o celular com 20% de bateria acende um alerta vermelho de morte social. Dá desespero perceber que só temos 8% de bateria e ainda faltam cinco horas para chegar em casa. Você pensa: "Como será a minha vida a partir de agora?!"

E daí viramos reféns deste oxigênio novo chamado carga. A tomada é democrática: pobres, ricos, iPhones, Galaxys, todos sentados no chão sujo de forma humilhante, andando com cabos no bolso para se conectar à irrealidade. E a realidade fica sendo a nossa foto em Paris comendo risoto, e não a gente sentado no meio da rodoviária disputando a tomada com uma tia gorda.

CELINA DIZ:
Pode me
passar o
arroz?

CAPÍTULO 1

# ALGUMA COISA ESTÁ FORA DA ORDEM NA NOSSA RELAÇÃO COM O CELULAR

## O QUE A CIGANA NÃO VIU

Os praticantes da quiromancia acreditam que "o destino está em nossas mãos". Pelo menos foi isso que uma cigana me disse na barraquinha de uma feira mística. De certa forma, ela estava certa. Nosso destino está sempre em nossas mãos e se chama celular.

O que a cigana talvez não soubesse na época é que hoje não é preciso ver as linhas das mãos, basta fuçar arquivos de conversas em textos, abrir fotos e vídeos, ver as mensagens diretas de um perfil nas redes sociais para conhecer o passado e o presente da pessoa. Se o celular não for o seu, dá até para estragar o futuro.

O telefone celular virou uma peça fundamental em nossas vidas, uma extensão de nossas mãos, um apêndice do nosso corpo, quase um superpoder das nossas mentes.

A história recente poderia, de fato, ser dividida em A/C e D/C, Antes e Depois do Celular. Não apenas como ferramenta de uso pessoal, mas como um terminal pessoal de acesso, que nos conecta ou desconecta do resto do mundo. Melhor dizendo, o celular permite que cada um monte seus mundos, suas realidades paralelas. Podemos, sim, navegar entre todos esses mundos e realidades, inclusive nos desligando do mundo dito "real", a nave mãe onde somos todos tripulantes.

Esse novo hábito das conversas multimeios veio com a vida em rede: surgiu com os desktops em locais de trabalho, depois migrou para os notebooks em escolas e nos lares e, finalmente, integrou-se no mundo inteiro pelos celulares. Eles oferecem ao mesmo tempo o conforto da privacidade e a possibilidade de longo alcance para essa nova camada de conversa muda e secreta, porém de grande poder. Muita gente diz que se todas as mensagens diretas e privadas fossem tornadas públicas por algum tipo de bug mundial, todos os relacionamentos terminariam.

Na calada de nossas trocas de mensagens, sem o menor pudor, podemos discordar, criticar, zombar, comentar, questionar, fofocar com qualquer pessoa de nossas redes sobre qualquer coisa ou pessoa, presente ou ausente.

Comentamos a respeito de tudo o que acontece na vida com nossos pares pelo celular, seja uma palestra, uma ocorrência na rua, uma aula, um show, uma discussão em família. Essas conversas paralelas são o que temos de mais próximo da comunicação telepática, com uma vantagem: a telepatia só acontece entre duas pessoas. Na rede, dá para fazer tudo isso em grupo.

## QUANDO O CELULAR VIRA MELHOR AMIGO

NENHUMA OUTRA TECNOLOGIA impactou tanto a humanidade em tão pouco tempo quanto o smartphone. São incontáveis as vantagens que esse aparelho trouxe para o nosso dia a dia a partir de seus aplicativos: compras, transações bancárias, navegação por mapas em tempo real, monitoramento da saúde, produção e consumo de conteúdo em texto, fotos e vídeos, jogos, acesso a rádios, TVs, filmes, jornais, revistas, livros e, claro, as redes sociais e toda a comunicação instantânea.

O número de aplicativos disponíveis nas lojas on-line é gigante e não para de crescer. Em março de 2018 eram 2,1 milhões na AppStore[1] e 3,6 milhões no Google Play.[2]

São tantos aplicativos para tantas finalidades que a Apple criou a frase "there's an app for that" numa campanha publicitária, ou seja, "tem um aplicativo pra isso", não importa o que "isso" for. Os aplicativos não só criaram novas soluções como substituíram muitos aparelhos físicos que eram comuns no nosso dia a dia. Na área de eletroeletrônicos, podemos facilmente pensar em câmeras fotográficas, filmadoras, televisão de bolso, rádio, gravadores, agendas eletrônicas, calculadoras, telefones fixos, relógios, lanternas, leitores de código de barras, walkie-talkies, scanners, pedômetros, que hoje são ícones na tela dos nossos celulares. Mas também temos versões de aplicativos para objetos e dispositivos mecânicos, como livros, enciclopédias, revistas, calendários, bloco de anotações, bússolas. Isso sem contar todo o acesso à rede bancária e as transações comerciais que podem ser feitas no seu smartphone, onde quer que você esteja.

Claro que as estatísticas nos impressionam com seus números robustos contabilizados a todo instante. Mas é a parte comportamental da nossa relação com esse aparelho que mais nos chama a atenção no momento, justamente por essa intensa e constante ligação física, cognitiva e emocional. Você e seu celular, mais que amigos, friends.

O celular está permanentemente no centro de nossa atenção. Se antes eram os adolescentes que ficavam o tempo todo checando mensagens e publicando em redes sociais, agora estamos todos agindo assim, não importa idade, credo, classe social, nacionalidade.

E é essa atenção contínua e prioritária que dedicamos aos celulares que gera incômodos, principalmente entre nossos amigos e familiares. É algo similar ao que acontece em relação aos pets. Todo mundo conhece uma história sobre a socialite que gosta mais do seu lulu-da-pomerânia do que do marido, da adolescente que prefere seus gatos aos pais, do avô que tem no papagaio um parceiro mais divertido que sua companheira de 50 anos. Sinceramente, em alguns casos sou #TeamPets.

Sim, animais são seres vivos, o celular é um eletroeletrônico, não pode ser comparado a um bichinho. Mas não é esse o ponto. O que gera ciúme não é o aparelho em si, mas a atenção que dedicamos a essa ferramenta para trocar informações e interagir com outras pessoas. Exceto por alguns eremitas desconectados, não conheço quem nunca tenha ouvido uma pergunta do tipo "Mas que *tanto* você fica mexendo nesse celular!?!??".

Confesso que já ouvi muito esse questionamento, até porque realmente fiquei meio maluca nos áureos tempos dos blogs. Tive muitos momentos de alegria e glória nesses 18 anos de blogueira, mas paguei um preço alto nas relações familiares. Fui acusada de dar mais atenção ao blog do que a meus próprios cachorrinhos, que nessa época já estavam acima dos familiares no ranking das prioridades.

Quando me conscientizei de que era verdade, tomei uma atitude radical e tirei mais tempo de atenção aos filhos para dedicar aos meus cachorros. Mentira. Na verdade, o que eu fiz foi roubar tempo dos meus cuidados pessoais: cortei o cabelo bem curtinho, o que me economizou muitas horas de salão de beleza.

O sorvedouro de tempo familiar piorou consideravelmente quando comecei a postar no blog via smartphone. Aí foi a festa do caqui on-line. No começo dos anos 2000, transformei meu blog no que seria hoje um "perfil" na minha própria rede social. Eu postava o tempo todo. Frases curtas, observações do cotidiano, pensamentos, comentários. Anos mais tarde, amigos e seguidores que sabem da minha paixão pelo Twitter passaram a dizer que eu já tuitava antes de existir o Twitter. Pura verdade.

Hoje, o que parecia uma loucura pessoal é sabidamente uma epidemia generalizada. Em qualquer sala de estar mundo afora, não é incomum todos os membros da família estarem ao mesmo tempo assistindo à TV, conversando entre si e interagindo com o celular. Ver televisão com o celular virou algo tão habitual que, quando isso acontece, usamos a expressão "segunda tela". Olha, a tela do celular só é "segunda" quando a galera está assistindo na TV a um evento como o Oscar, a final de um campeonato de futebol, uma Olimpíada, o intervalo do Superbowl, o primeiro ou o último capítulo de uma série ou novela, uma final do *Masterchef*, ou qualquer transmissão de interesse de uma grande comunidade. Basta que uma galera do Twitter decida assistir a alguma coisa em conjunto na televisão de suas casas para o sucesso ser imediato. E essa caixinha coletiva de comentários tem poder, sim.

Há alguns anos, o Canal Viva transmitiu uma reprise muito antiga do *Globo de Ouro*. Uma imensa turma de tuiteiros assistia aos programas dentro de um camarote imaginário, o Camarote Dolly, para o qual só os VIPS-trash seriam convidados. Esse camarote virtual levava tanta gente a sintonizar o Canal Viva (para acompanhar o programa com comentários) que a emissora, ciente da grande mobilização gerada por milhares de celulares, aumentou o número de dias de reprise do programa. Ou seja, a brincadeira nos aplicativos de celulares atingiu tal proporção que alterou a grade de programação da TV!

A convivência entre celular e rádio e TV é amistosa, não faz mal a ninguém. Chato mesmo, para mim, é o celular em shows. Parece que ninguém mais vai a um show para ouvir o cantor ou a banda e curtir o momento. O objetivo primordial parece ser publicar que está no show para quem não foi. Ou melhor, para ostentar que foi e os outros, não. O palco e os artistas são muito mais pano de fundo para fazer selfie do que foco de interesse.

Sim, eu também tiro umas fotinhos, faço uns stories e acendo a lanterna quando o artista pede, para transformar o estádio numa nuvem de vaga-lumes com bateria. Isso tudo é normal. O esquisito é ver milhares de pessoas filmando o show e olhando para a telinha e não para o artista que está no palco. Quem vai ver todos esses vídeos trêmulos depois? Em que planeta a imagem e o som gravados no telefone podem ser melhores do que a experiência ao vivo? Nunca entendi gente que filma tudo em vez de viver o momento.

Mas, de todo esse conjunto, o subconjunto que menos compreendo é o de pessoas que filmam fogos de artifício no ano novo. Gente, é tudo igual! Poderiam ser os fogos do ano passado, retrasado, fogos em Cingapura ou Hortolândia, é tudo a mesma coisa. Enfim, é apenas a minha opinião, se você não gostou, tenho outras, só para parafrasear Groucho Marx. Só estou comentando esse fenômeno de trocar a realidade sensorial e 3D pela captura minúscula em 2D. Pronto, acabei.

Mentira, tem mais.

Existe outro fenômeno que acomete muita gente que vai a museus e, em vez de contemplar as obras, tira fotos de cada uma. Não sei a explicação para essa ocorrência. Se é para testar a câmera, se é um exercício aeróbico indoor, um estudo comportamental ou uma pegadinha para a televisão. Só sei que ir a um museu poderia ser uma chance de olhar as obras de perto, sem a intermediação da tela do telefone ou de qualquer outra tela. Caso alguém precise da imagem digitalizada de qualquer uma das obras, seja para postar num grupo fechado, compartilhar de forma aberta ou mandar como referência para imprimir uma camiseta, existem opções maravilhosas na internet, em diferentes tamanhos e resoluções.

Seja como for, se a pessoa quiser fotografar todos os postes da avenida, não tenho nada com isso. Inclusive, já fiz uma galeria de fotos de tampas de bueiros de empresas de luz, gás e telefonia, em vez de aproveitar a oportunidade de contemplar aquelas artes de obra.[3] Cada um, cada um.

Outro fenômeno razoavelmente novo é o poder do smartphone de tirar da TV o título de "autoridade em transmissão", reduzindo-a a suporte, para passar o conteúdo que você quiser a partir do celular. Basta espelhar a tela do celular na TV e plim! Lá se foi o plim-plim. Sai o *Jornal Nacional* e entra o novo episódio do Porta dos Fundos. Saem todas as emissoras, canais a cabo, grades de programação e entram os vídeos toscos que recebemos pelo WhatsApp, suas fotos no churras, aquele gol que você viu no Facebook.

E a gente pensando que o poder em nossas mãos era o controle remoto.

## MAIS CELULARES QUE SERES HUMANOS

O DESEJO POR COMUNICAÇÃO instantânea e fácil sempre existiu. O ser humano é gregário, comunicativo, precisa estar em contato com sua comunidade, expressar seus sentimentos. Por isso o celular cativa tanto as pessoas. A maior prova disso é sua aceitação mundial.

Todo mundo quer ter um celular. Ou mais de um. Em 2014 o número de telefones móveis ultrapassou oficialmente o número de seres humanos no planeta.[4] Hoje somos 7,5 bilhões de pessoas e 8 bilhões de aparelhos. E a diferença só tende a aumentar, já que o número de celulares ativos cresce cinco vezes mais que a população mundial.

O celular é, de fato, uma das mais revolucionárias invenções humanas. É impossível descrever todas as maravilhas e avanços que já fizemos e o tanto que ainda vamos conquistar por causa dele. É admirável e, ao mesmo tempo, assustador. Ainda bem que os smartphones não são mais smart do que nós. Bem, pelo menos por enquanto. Porque se o celular ainda não é nosso dono e senhor, já é um espião constante, quer você queira, quer não. Uma matéria de novembro de 2017 do site Slate, assinada pela especialista em tecnologia Christina Bonnington, tem como título a seguinte verdade inconveniente: "Seu celular está sempre rastreando sua localização." A linha fina logo abaixo é ainda mais preocupante: "Não importa o que você faça, os smartphones estão continuamente rastreando mais informações do que você imagina."[5]

O que vem a seguir vai de "preocupante" para "alarmante" na escala do "socorro, mamãe". Boa parte das informações sobre sua localização são coletadas por aplicativos que você instala em seu celular. Alguns aplicativos de jogos, diz a matéria, conseguem saber sua localização mesmo que você não tenha dado permissão.

Uma pesquisa dinamarquesa de 2015 atesta que jogos como Angry Birds, Pandora e Candy Crush têm essa capacidade. Até o começo de 2017, o aplicativo do Uber conseguia identificar usuários do sistema operacional iOS (iPhone) mesmo se o aplicativo tivesse sido deletado. E até agosto do mesmo ano, podia rastrear sua localização mesmo depois de encerrada a corrida.

E agora vamos para o fim da escala, no modo "assustador": além de muitos aplicativos terem a capacidade de coletar dados sobre sua localização, eles podem *vender* essa informação para terceiros, através do serviço da SafeGraph. De acordo com o *Washington Post*, a SafeGraph rastreia dados de mais de 10 milhões de smartphones nos Estados Unidos. Só em novembro de 2016, a empresa coletou 17 trilhões de dados de localização.[6]

ooo

**Luciano Huck**
apresentador

Com a proximidade da Copa do Mundo na Rússia, coloquei meus neurônios e a turma que escreve o *Caldeirão* comigo para funcionar e pensar qual seria a nossa pauta para o evento.

Decidimos tentar encontrar os russos que, em pleno século XXI, ainda não sabem o que é futebol. Nosso destino: o norte da Sibéria, onde vivem os *nenets*, um dos poucos povos nômades restantes no planeta. Um povo que preserva a sua cultura há milhares de anos, e que anualmente caminha mais de 1.500 quilômetros pela Península de Yamal com seus enormes rebanhos de renas.

Foram mais de 26 horas de voo somadas a cerca de 16 horas de carro para finalmente encontrar o primeiro grupo. Eram quatro famílias, vivendo em quatro tendas, com mais de 4 mil renas ao redor. Uma maravilha.

Finalmente havíamos chegado a um povo "desconectado" do mundo moderno.

Doce ilusão. Nosso comitê de boas-vindas começou com Sophia, 8 anos, que sonha em ser médica, adora o YouTube, tem Instagram, e portava um belo smartphone rosa, feito na Índia, que a conecta ao mundo.

Nem uma criança nômade, que vive no gelo, no norte da Sibéria, está livre deles..

Se você quiser ter uma conversa realmente confidencial em um lugar reservado e levar seu celular com você, não basta desligá-lo. Tire o chip, desconecte o wi-fi e remova a bateria, porque até desligado é possível rastrear a geolocalização do seu telefone.

Não é feitiçaria, é tecnologia. Não é paranoia, é realidade.

Realidade que você já conhece. Basta pesquisar um serviço ou um produto qualquer, como "calçados esportivos" e, em segundos, dezenas de anúncios de tênis aparecem em todas as páginas chutando sua cara.

Seu celular funciona, sim, como um espião a serviço das empresas que bombardeiam sua tela com anúncios relacionados. Digamos que, até aí, ok. De uma forma ou de outra, se pesquisamos alguma coisa para comprar é porque temos interesse. Os anúncios direcionados seriam um resultado de nossa procura.

Mas, o que dizer de ter uma espiã em suas mãos? Alguém que grava suas conversas sem o seu consentimento? Pois essa entidade traiçoeira pode ser o celular, que "ouve" o que você fala, mesmo sem ativar comandos de voz.[7] A explicação do Google é que essas gravações servem para aperfeiçoar o serviço. Eu não sei o que você pensa sobre esse tipo de atividade, mas ao ouvir minha voz, em várias gravações que não autorizei, numa página das "minhas atividades", fiquei estarrecida.

Por falar nisso, uma curiosidade: se você tem um celular com sistema operacional iOS, pegue seu aparelho agora, vá em **Configurações > Privacidade > Serviços de Localização**, role a tela até o final **> Serviços de Sistema >** (no meio da página) **Locais importantes** e veja o seu Histórico. Tem uma lista com todos os lugares onde você esteve, um mapa, os dias e horários de chegada e saída. Por exemplo: um registro mostra que no dia 17 de outubro de 2017 eu estive no Beiramar Shopping em Florianópolis, precisamente das 16:24 às 17:24, hora local. Se por um lado isso pode servir de álibi caso alguém tente me colocar em outra cena, por outro, alguém que pegue meu celular e acesse essas informações pode me questionar sobre o que eu fiquei fazendo nesses 60 minutos e com quem estava.

De qualquer forma, se você encontrou esses dados em seu telefone e quer apagá-los, role a tela até o final em **Locais importantes,** clique em **Limpar Histórico** e desabilite o serviço de localização. Todos. No Google, o caminho é **https://myactivity.google.com/myactivity**. Caso contrário, cada passo, cada clique, cada palavra, tudo o que você fizer, todas as suas atividades serão monitoradas e registradas.

Na boa, isso é tão *Black Mirror.*

## SEMPRE AO SEU LADO

A MÁ NOTÍCIA VOCÊ já recebeu: somos dependentes do celular. A boa notícia é que podemos conversar abertamente sobre isso. Somos adultos e diante de um problema sério, como bater na quina de madeira, não precisamos xingar a mesinha de "feia", culpar o tapetinho ou pedir para a mamãe soprar o dodói. Podemos falar verdades verdadeiras, sem negar as aparências, sem disfarçar as evidências. Para que viver fingindo se já não podemos mais enganar nossos corações? :)

A primeira verdade é que nenhum de nós sai mais de casa deliberadamente sem o celular. E se o esquecemos, voltamos para buscá-lo. E se não voltamos, pedimos para alguém trazê-lo. E se não houver ninguém para trazer o bebê até nossos braços, suplicamos que ele seja encontrado e guardado a salvo até que as sofridas horas de separação e abstinência sejam coroadas pelo alívio do reencontro.

Fazemos a mesma coisa dentro de casa, onde ninguém fica sem celular por um instante sequer. Ele nos acompanha a cada passo, em todos os cômodos. Nem cachorro dá conta de seguir tanto o dono. Para assistir a qualquer coisa na TV da sala – filme, novela, evento ao vivo, série, jogo, reality show ou programa de auditório com roleta de pregos – deitamos no sofá ou sentamos em algum lugar com ele nas mãos. Assim, podemos acompanhar o que passa na tela grande e, simultaneamente, compartilhar o que vemos, sentimos e pensamos na tela menor, onde habitam todas as pessoas interessantes, não essas chatas que moram na nossa casa.

Na hora de comer, o celular é praticamente o convidado de honra e fica com a família na mesa onde muita empregada doméstica, faxineira, cozinheira e copeira jamais sentou. Ele costuma ser colocado cuidadosamente em cima da mesa; pode ser perto dos copos, junto dos talheres ou sobre o colo com o guardanapo, tanto faz o lugar, contanto que esteja próximo o suficiente para ser capturado com nossas rápidas mãos. Convenhamos, não dá para abandonar o celular durante uma refeição inteira. Vai que rola alguma coisa urgente como uma notificação de comentário na nossa selfie no elevador.

O celular também vai conosco para o quarto, onde desempenha uma série de papéis muito úteis: lanterna, rádio, relógio, despertador e, caso alguém queira aferir o desempenho sexual, cronômetro.

Dormimos e acordamos com o celular ao nosso lado, alguns conseguem a proeza de sonhar com ele na mão. Não quero aqui censurar ninguém, até porque, quem sou eu na fila do carregador? Logo eu, que já puxei o edredom tantas vezes para cima da minha cabeça, para não acordar o parceiro ao responder uma piada urgente no WhatsApp ou escrever uma ideia no Notes, escondida na cabaninha da vergonha.

Não é só nas chamadas "áreas secas" da casa que portamos nossos amiguinhos eletrônicos, eles também nos seguem na intimidade das áreas úmidas, como a área de serviço, a cozinha e o banheiro. Até recentemente, a água era a kryptonita do nosso herói de capinha. Eram tempos difíceis em que o Vilão da Umidade só podia ser combatido com o Superpoder Secador do Arroz Cru. Eu mesma me lembro de passar horas chorando baixinho, jogando punhados de grãos sobre meu celular que jazia semimorto num potinho de Tupperware.

Lá pelos anos 2000, alguns celulares tinham um dispositivo no circuito que acusava se o bichinho tinha entrado em contato com a água. Era comum levar o telefone na assistência negando veementemente que o aparelho tivesse tido um encontro fortuito com uma molécula de $H_2O$ (porque nesse caso perdia a garantia) e passar carão quando o técnico mostrava a prova cabal de que o aparelho tinha, sim, tomado um banho involuntário. Muita vergonha.

No entanto, no reino das águas doces, talvez o banheiro, mais do que a lavanderia ou a cozinha, mereça um capítulo inteiro nessa longa confissão sobre a amizade doentia com o celular.

Celulares nos banheiros têm proporcionado à raça humana momentos épicos, seja através dos joguinhos que inspiram e distraem nossas mentes para que nosso corpo se manifeste, ou dos maravilhosos momentos de photobombing proporcionados por humanos distraídos, quando alguém posta um nude com fins sensuais e, inadvertidamente, publica sua avó ao fundo sentada no vaso.

Além das fotos no espelho, pessoas dos mais variados credos, ideologias e sistemas operacionais usam o banheiro também como área segura para conversas privadas, com perdão do trocadilho involuntário. Se o Super-Homem um dia usou as cabines telefônicas para trocar de identidade, hoje usamos as cabines do banheiro para esconder a nossa.

O banheiro, aliás, foi cenário para um meme de internet, aquele do "selfie com o pé na pia". Embora ele tenha fomentado o alongamento de virilha para que muita gente conseguisse alcançar a graça desta pose, marcando ponto positivo para o celular, o ponto negativo é que a presença do aparelho na pia do banheiro pode prejudicar a dentição, aumentando, por exemplo, a incidência de tártaro, já que escovar os dentes olhando para a tela do telefone empobrece o ritual da boa escovação. Sabe como é, tudo tem seu preço.

**Bia Granja**
cocriadora e diretora criativa do YouPix

Eu estava num evento do YouPix, e meu celular estava no bolso de trás da calça. Entre uma palestra e outra, saí correndo para fazer um xixizinho e, quando tirei a calça, ploft!, o celular caiu dentro da privada.

Mas pense: num evento como aquele, ninguém dá descarga, então não era uma água de privada limpinha, era uma água que já estava toda mijada.

Só que, né? Um iPhone, caralho! Vendi um rim para comprar! Então, pá, meti a mão e peguei. Aaaargh!

Alguém comprou um quilo de Tio João pra mim, e eu deixei o celular lá no arroz. Depois de uns quatro dias, quando fui pegar o iPhone, ele continuava morto, fedendo a xixi e todo grudado de arroz.

The End.

Mas como foi que você, eu, o mundo, chegamos a esse ponto? Como foi que o uso abusivo do celular entrou em nossas vidas? Foram as más companhias? Será que começou de forma inocente, como o hábito de usar Crocs, e depois evoluiu para drogas mais pesadas, como calça saruel de moletom?

Ao que tudo indica, o celular entra em nossa vida pela porta da frente, recebido com sorrisos e boas-vindas dignas de um convidado de honra. No caso de algumas marcas "hypadas", com filas quilométricas na entrada de lojas em dias de lançamento de novos modelos.

Os primeiros da fila não são apenas compradores de um novo produto, mas *early adopters* entrevistados por portais, canais e emissoras de TV. Ou seja, além do celular, recebem também o bônus de alguns minutos de fama na mídia e um punhado de curtidas em suas redes pessoais. Falo isso com conhecimento de causa.

Há alguns anos, no dia em que um novo modelo do iPhone começava a ser vendido, eu estava em Nova York, bem em frente ao famoso cubo de vidro da Apple da Quinta Avenida. Uma imensa fila de compradores agasalhados esperava a abertura da loja, uns tomando café com seus nomes nos copos, outros acampados em pequenas barracas de nylon.

Contaminada instantaneamente pelo pirlimpimpim da oportunidade de fazer um sucessinho, saquei meu celular da bolsa e entrevistei o russo que havia amanhecido no local para ser o primeirão da fila. Foi uma conversa simpática que rendeu bons comentários no meu blog. Não por causa do russo ou de mim, mas pela estrela principal em torno da qual todos nós orbitávamos, o novo celular lançado naquele dia.

Ao longo dos anos de convivência diária e ininterrupta, o celular se tornou não apenas um instrumento indispensável para navegarmos o mundo, mas uma espécie de extensão do nosso cérebro e, para os que não conseguem soltar o aparelho das mãos, do próprio corpo.

"Ah, mas eu não sou desse tipo!", dirão alguns em defesa própria.

Vamos reformular, então. O celular pode não estar literalmente em tempo integral em nossas mãos, mas está ao alcance delas, seja no console do carro, sobre o criado-mudo, em cima da mesa de trabalho, ao lado do prato, no suporte de braço, na bolsa, no forro do casaco, no bolso traseiro da calça (opção de fácil acesso para o usuário e para o ladrão) ou em lugares alternativos e mais íntimos como dentro do cós da calça coladinho na cintura, dentro do sutiã, etc. Imagino que, neste momento, seu celular esteja ao alcance da sua mão, ou pelo menos no seu campo de visão. Isso se você não estiver lendo esse texto no próprio aparelho.

Na verdade, a dependência pra valer aconteceu com o lançamento dos smartphones. Se eu fosse traduzir de forma simbólica essa passagem, escolheria a cena do filme *2001 – Uma odisseia no espaço*, de Stanley Kubrick, em que um macaco descobre que um osso pode ser usado como ferramenta. Foi o que aconteceu quando os celulares deixaram de ser apenas telefones portáteis e viraram smartphones com aplicativos que se transformaram em ferramentas tão essenciais para o nosso dia a dia que já não conseguimos mais viver sem elas.

Vamos então fazer uma breve viagem para o início de tudo, a invenção da telefonia, 150 atrás na nossa timeline.

ooo

**Nilson Xavier**
jornalista

Já é clichê dizer que "o celular é uma extensão do braço" ou "minha vida está em meu celular". De fato, não conseguimos nos imaginar sem ele, viver sem ele. E quando damos falta dele? Bate um desespero, uma taquicardia...

Lembro de duas situações em que percebi que havia perdido o celular.

Uma vez, esqueci na livraria. Voltei lá depois de umas duas horas e o celular estava no setor de achados e perdidos. Foi uma sensação de renascimento, porque a primeira coisa que se imagina é que levaram o celular embora.

A outra foi no supermercado. Deixei o celular na cesta de compras. Só fui sentir falta dele quando estava voltando para casa. Quinze minutos depois estava de volta ao mercado. Porém, dessa vez, ninguém sabe, ninguém viu. Foi como perder um ente querido! Hahahahahahaha! Mentira, nem sou assim tão desesperado.

Mas perder o celular – ou melhor, o chip do celular – é de fato um grande transtorno. Rende um episódio de *Black Mirror*, não?

- É uma série de televisão britanica antológico de ficção científico criada por Charlie Brooker e centrada em temas que examinam a sociedade moderna, a respeito das consequências das novas tecnologias.

CAPÍTULO 2

# COMO CHEGAMOS A ESTE PONTO?

## UM POUQUINHO DE HISTÓRIA

O ano é 1876, o mês é março. Estamos em Boston. O escocês Alexander Graham Bell, de 29 anos, acaba de obter a patente de um aparelho de transmissão de voz, invenção que desenvolveu em seu laboratório, o "vibrafone". Apesar das controvérsias sobre quem foi o primeiro a inventar o telefone, o fato é que Bell sempre se interessou por assuntos ligados à fala, tendo se formado em linguística e atuado como professor de surdos-mudos.

No dia 10 de maio do mesmo ano foi inaugurada a Exposição Universal, na Filadélfia, evento que fazia parte das celebrações do centenário da Declaração da Independência Americana. Foi a primeira feira mundial oficial dos Estados Unidos, durou seis meses e passaram por ela cerca de 10 milhões de pessoas, visitando exibidores de 26 estados americanos e sete países.

Um dos ilustres visitantes presentes na abertura foi Dom Pedro II, acompanhado de sua esposa, Dona Teresa Cristina. Foi lá que ele conheceu Graham Bell, que demonstrava sua invenção. O imperador do Brasil ficou tão encantado ao experimentar o aparelho e descobrir que ele realmente "falava", que comprou ações da empresa de Bell, a Bell Telephone Company, e tornou-se uma das primeiras pessoas a ter um telefone instalado em sua residência de verão, o Palácio Imperial de São Cristóvão, na Quinta da Boa Vista, Rio de Janeiro, onde hoje é o Museu Nacional.

Em 1879 foi feita a concessão para criar uma rede telefônica no Brasil, permitindo que D. Pedro II criasse a Telephone Company of Brazil por meio de um decreto imperial. Dois anos mais tarde, a primeira companhia telefônica do país estaria devidamente instalada na Rua da Quitanda, nº 89, no Rio de Janeiro. Nessa época não era possível fazer ligações diretas entre dois telefones. As chamadas eram conectadas através de centrais telefônicas, operadas principalmente por mulheres que passaram a ser chamadas de "telefonistas".

Nas décadas seguintes, o aparelho de telefone evoluiu e popularizou-se. Em 1935, a Companhia Telefônica do Brasil instalou no Rio de Janeiro o primeiro posto público, abrindo caminho para que mais telefones públicos fossem instalados em mercearias, farmácias e outros estabelecimentos comerciais.

Na década de 1940, nos Estados Unidos, os avanços tecnológicos continuavam a todo vapor, tanto em telefonia quanto em computação. Em 1944 o primeiro computador eletromecânico do mundo começou a funcionar em Harvard, e em 1946 surgia um novo sistema de telefonia móvel por transmissão de rádio, uma espécie de embrião do celular que conhecemos hoje.

Aqui no Brasil, a década de 1950 foi marcada pela criação do sistema de Discagem Direta a Distância, o famoso DDD, que permitiria a integração de regiões distantes do nosso país de dimensões de continente.

A partir daqui a história fica bem mais próxima dos dias de hoje. O emblemático ano de 1969 trouxe conquistas históricas que moldariam o mundo moderno. Em julho, o astronauta Neil Armstrong torna-se o primeiro ser humano a pisar na Lua, em agosto acontece o lendário festival de Woodstock, que ditaria novos rumos para a cultura e o comportamento, e em outubro a primeira mensagem é enviada pela ARPANet, a rede de computadores organizada pelo Departamento de Defesa Americano que daria origem à internet. O ano de 1969 foi aquela pequena volta da Terra em torno do Sol, mas um imenso salto para a humanidade.

Não por coincidência, 1969 também foi o ano em que a Embratel inaugurou torres de rastreamento de satélites que integraram o Brasil à Intelsat, sistema mundial de comunicação via satélite, permitindo transmissões ao vivo.

Os marcos históricos que se seguiram na telefonia brasileira e mundial ainda têm rastros nos dias de hoje, como os telefones públicos de rua, que estrearam no Brasil em 1972 e ainda sobrevivem. No ano seguinte, um engenheiro americano fazia a primeira ligação num protótipo de telefone celular chamado DynaTAC. Dez anos depois, em 1982, chegava ao mercado americano o primeiro celular comercial e, em 1986, nascia oficialmente a internet.

O telefone celular comercial chega ao Brasil em 1990. Para dar uma ideia numérica de como era a cena da telefonia móvel no começo dessa década, em 1992 a população do Brasil era de 154 milhões de pessoas e só havia 32 mil celulares, ou seja, 0,02% dos brasileiros tinham esse aparelho. O crescimento foi tão rápido que, quando uma pessoa nascida em 1992 atingiu a maioridade, em 2010, já havia mais celulares que brasileiros.

## MINHA PRIMEIRA VEZ

POUCOS MESES DEPOIS do desembarque do celular no Brasil, fui ao Rio ver um show do Fausto Fawcett e sua loiraça Belzebu, Kátia Flávia, conhecida no mundo da ficção musical da época por usar "calcinhas bélicas". Não, não me peça para explicar o que são calcinhas bélicas, estamos falando dos anos 1990, uma década sem muita explicação. E, qualquer coisa, é só dar um Google.

Confesso que pouco me lembro do show porque, para mim, o espetáculo mais surpreendente aconteceu fora do pequeno palco da boate cheia de fumaça. Em frente à casa de shows, duas ou três pessoas andavam pela calçada segurando aparelhos telefônicos sem fio contra seus ouvidos. Iam de um lado para outro, faziam gestos com o braço, riam, falavam. Fiquei maravilhada. "Então esses são os tais telefones móveis, os celulares?", pensei. E, mais uma vez, senti aquela pontinha de inveja que tantos têm dos cariocas, sempre à frente nas tendências e modernidades.

Com o queixo caído, de boca aberta e praticamente babando, fixei minha atenção em um rapaz que se despedia em voz alta de alguém do outro lado da linha. Ele tirou o aparelho do ouvido, dobrou uma espécie de portinhola no lugar do bocal (que mais tarde eu descobriria ser o "flip"), baixou uma anteninha fofa e guardou o telefone no bolso do casaco. Ali aconteceu o encantamento, o amor à primeira vista. A partir daquele instante eu só tinha um sonho de consumo: um telefone celular para chamar de meu.

Kátia Flávia e suas calcinhas bélicas que me perdoem, mas aquilo sim era bombástico, um míssil Exocet que afundaria para sempre nossos hábitos, nossas relações, nossa forma de navegar pelo mundo, a vida como a conhecíamos até então.

Esse primeiro modelo comercializado aqui era o Motorola PT-550,[8] o único disponível no mercado à época. Com 22,8 centímetros de altura e 348 gramas, era grande e pesado, por isso foi logo apelidado de "tijolão". Pesava no bolso, em ambos os sentidos. Na verdade, o peso em gramas diminuiu bastante com a tecnologia, mas em termos financeiros um celular ainda pesa e muito.

O Motorola PT-550 era um aparelho com um pequeno visor, os botões com os números, algumas teclas básicas, um identificador de chamadas, meia dúzia de funções simples e a linha telefônica. E só. Não tinha câmera, não tinha aplicativos, não tinha chip, não guardava arquivos e, claro, não conectava à internet. (Aliás, a internet comercial no Brasil só começaria oficialmente em 1995.)

Mas ele tinha a essência revolucionária necessária: não tinha fio e era móvel. O celular nos deu esse que é um dos maiores bens, a mobilidade. Podíamos andar e falar ao telefone ao mesmo tempo. Ao longo dos anos isso iria se transformar num novo comportamento, o de não conseguir falar ao telefone sem andar.

Nessa época, começo dos anos 1990, eu era redatora de humor na Rádio Jovem Pan FM, no famigerado prédio Winston Churchill, na não menos famosa Avenida Paulista. E ganhava muito pouco. Os salários de radialistas são baixos de uma forma geral, mas alguns patrões conseguem reduzir o patamar do termo "salário baixo" a níveis que flertam com o zero. Eu adorava trabalhar lá e, se tivesse treino de faquir, talvez trabalhasse escrevendo humor até de graça. Felizmente meus empregadores não sabiam disso e me pagavam, eventualmente me compensando com pequenos brindes que a rádio recebia de gravadoras, como minicalculadoras e chaveirinhos. Não sei exatamente qual a tática Harry Potter que eu usava, mas de alguma forma misteriosa e mágica, não apenas eu conseguia sobreviver como ainda guardava alguns trocados, fazendo pequenas economias no dia a dia.

Depois de alguns meses indo a pé para o trabalho e observando jejuns mesmo em datas não-religiosas, consegui comprar meu tijolão sem fio, o Motorola PT-550. Para mim era uma conquista, quase uma ostentação, equivalente ao que seria hoje uma coleção de carros importados para cantores sertanejos ou closets gigantescos para blogueiras de moda.

No plano comportamental, a primeira mudança que senti em relação ao meu novo aparelho móvel, no distante ano de 1992, foi o desejo de estar perto dele o tempo todo, para fazer e receber todas as chamadas onde quer que eu estivesse. Para prolongar essa possibilidade de comunicação, comprei uma superbateria extra, que tinha o dobro do tamanho da original. O celular, que já era um tijolo, tornou-se um paralelepípedo.

O formato da bateria, que deslizava e encaixava pela parte de trás, era mais ou menos o de uma plataforma de step dessas que usamos em academia, em formato de trapézio. Uma rampinha para subir, uma plataforma e outra rampinha para descer. E uso essa imagem para ilustrar um acidente que tive com meu primeiro celular.

Atravessando a Avenida Paulista ao voltar do almoço para o trabalho na Rádio Jovem Pan, dei uma corridinha para aproveitar o sinal prestes a fechar. Nessa pequena corrida, meu celular caiu da bolsa sem que eu percebesse. Ao chegar do outro lado da calçada, uma pessoa me tocou no braço e disse: "Acho que você deixou cair alguma coisa da sua bolsa!"

Olhei para a avenida e vi meu celular que jazia de cara no chão, beijando o asfalto no meio da Paulista. O visor com o flip fechado pra baixo, a bateria gigante em forma de trapézio de bunda pra cima.

Pensei em correr e me jogar para tentar resgatá-lo, mas o sinal já tinha aberto e os carros avançavam rapidamente. Gelei. Depois de tantos sonhos, de tanto esforço, meu novo amigo estava prestes a ser atropelado e morto diante dos meus olhos.

Eu estava pensando exatamente isso quando um Twingo verde passou com o pneu em cima do meu telefone e... quase capotou! O Twingo era um carro compacto que tinha rodas bem pequenas, e quando um dos pneus subiu na bateria em forma de rampa, perdeu a estabilidade e levantou. Felizmente o carro voltou ao chão e seguiu sem problemas. Nada aconteceu com o carro ou o motorista. A dúvida era se meu celular ainda estava vivo, porque eu mesma não tinha certeza se estava. O sinal fechou, corri para resgatar meu telefone e, ainda no meio da faixa, abri o flip e o visor acendeu. Não havia acontecido absolutamente nada com meu tijolão, nem um risco, nenhuma avaria. Realmente aquele era um grande pequeno notável. Coloquei-o de volta na bolsa, corri para a calçada e voltei para o trabalho me sentindo feliz e segura com meu super-herói de anteninha.

**Ricardo Feltrin**
jornalista

O primeiro celular que segurei na mão foi um PT-550 no ano de 1996. A redação da *Folha* emprestava com parcimônia a alguns repórteres os poucos tijolões recém-comprados. Mas, como eu cobria violência e era sempre porta de cadeia, tinha direito a um (e me gabava).

No entanto, a vida real era bem menos glamourosa. Na periferia, onde eu trabalhava, nunca tinha sinal. E o tijolão ainda chamava atenção do "movimento" – se é que me entende. Todo mundo cobiçava aquele traste. Uma vez tive de fugir porque os manos queriam tomar.

Tempos depois, eu estava voltando de táxi na Avenida 23 de Maio (sentido Centro) e dando retorno ao editor em meu invejável StarTAC, o celular novo que a *Folha* me dera. Então, do nada o motorista fez uma curva abrupta, desviando de algo na avenida, e o StarTAC escapou da minha mão. Ele voou para aquele vão, aquele buraco arredondado que há no painel do passageiro de muitos carros, e ali ganhou um impulso impossível, lançando-se pela janela aberta do carro. Nunca mais o vi.

Meu chefe disse que ainda ouviu barulho de carros e buzina por algum tempo. Mas que depois ficou mudo. Snif... Voa, voa livre, StarTAC!

## CAIU A FICHA – PARA SEMPRE

O TEMPO SÓ VEIO aprovar que o termo super-herói não é um exagero. O celular nos ajuda diariamente e nos "salva" em muitas ocasiões. E, mesmo sem grandes recursos, a portabilidade do telefone móvel, com o perdão pelo clichê de bingo corporativo, "quebrou um paradigma". Porque, se no tempo dos telefones fixos ligávamos para um lugar exato para saber se a pessoa estava lá, agora podíamos ligar para uma pessoa exata e saber em que lugar ela estava.

O benefício da portabilidade trouxe questionamentos. Será que perderíamos nossa liberdade estando acessíveis para qualquer um que tivesse o número do nosso aparelho? E qual seria a nova ética, dizer sempre a verdade ou poderíamos mentir sobre nossa localização? Patrões não explorariam seus funcionários, já que poderiam ligar para o celular fora do horário de trabalho?

As dúvidas, os questionamentos e até as piadas (como aquela do marido infiel, Joaquim, que ao receber uma ligação da Maria no celular pergunta como a esposa descobriu que ele estava num motel) orbitavam em torno dessa nova possibilidade de estar sempre acessível. Até então, a única forma de ligar para as pessoas, fora os telefones fixos das casas, escritórios ou estabelecimentos comerciais, era usando um telefone público, com fichas de metal. Quando a ficha descia pela canaleta, a ligação começava. Até hoje usamos a expressão "cair a ficha" para expressar quando finalmente entendemos ou concluímos alguma coisa, conectando ou "ligando" informações.

O celular nos libertou dos orelhões, apelido dado pelo povo brasileiro aos telefones públicos instalados a partir de 1972 nas ruas sob protetores em forma de capacetes gigantes.

Depois de alguns anos de sucesso vieram as ondas de vandalismo contra os aparelhos. Campanhas publicitárias premiadas foram veiculadas na TV, tentando impedir a morte dos orelhões. O resto da história você já conhece. Fichas foram substituídas por cartões, orelhões continuaram a ser depredados de forma avassaladora, chegaram os telefones móveis e nossos "orelhinhos" transformaram os telefones públicos em criaturas tristes e obsoletas.

## QUANDO OS TELEFONES FICARAM ESPERTOS

Até que em 2001 surgiu o telefone inteligente, o Palm Kyocera 6035, o primeiro smartphone do Brasil, quando a densidade de celulares já estava acima dos 16%. Eram 28 milhões de telefones móveis para 174 milhões de habitantes.

Minha grande alegria com os smartphones aconteceu em 2002. Eu era sócia da agência Synapsys de advertainment, conceito que une a propaganda e o entretenimento, encubada na NewCommBates de Roberto Justus e evoluída hoje para a poderosa NewContent, e atendíamos a conta da Nextel. No final do ano, fizemos uma ação ao vivo via Nextel, unindo numa mesma conversa vários apresentadores de programas esportivos veiculados em diferentes emissoras de TV. Foi incrível. Para tanto, usei um aparelho moderníssimo para a época, o i95cl, que se conectava à internet. Eu, que já tinha blog desde 1999, descobri durante uma viagem de táxi que era possível postar no meu blog de forma remota, usando o aparelho Nextel. Foi uma iluminação, uma descoberta. Imagine, poder postar na internet pelo celular!

No ano seguinte, 2003, veio o Blackberry, que virou uma febre nas classes privilegiadas que podiam comprar essa joia caríssima. Nesse mesmo ano, porém, o *Financial Times* já previa que os smartphones com navegação na internet e outras funções eclipsariam todos os handhelds e palmtops, ou seja, os computadores portáteis de mão.[9]

E assim foi até junho de 2007, quando aconteceu a mais impressionante revolução dos telefones inteligentes, o iPhone da Apple, lançado para o mundo pelo lendário Steve Jobs. O iPhone era muito mais completo, mais smart e mais bonito. Era a inteligência com design. E simples de usar. Ganhou o meu coração. E o de todo mundo.

Em 2007 eu ainda trabalhava para a Rádio Jovem Pan, já como criativa e roteirista do *Pânico na TV*. E, por todos os anos de serviços bem prestados e mal remunerados, meu chefe me deu um iPhone como presente de fim de ano. Até hoje ele está comigo e funciona perfeitamente. O iPhone, digo; o chefe eu não sei.

**Leo Jaime**
compositor, cantor, apresentador, ator

Uma vez ganhei um iPhone novo como parte de um trabalho de divulgação. O modelo seria lançado na manhã seguinte e, assim, a caixa me foi entregue na noite anterior.

A ideia era postar uma foto feita com ele assim que eu o tirasse da caixa.

Abri a embalagem, tirei o iPhone, olhei as mudanças do modelo e coloquei-o de volta na caixa para dar uma olhada nas especificações do manual.

Pois nesse momento ele escorregou da caixa e foi ao chão. Quebrou antes de ser ligado e antes de eu fazer a tal foto!

Reclamei e vi que o problema de queda por causa da embalagem aconteceu com muito mais gente por aí. Naquela edição o telefone ainda vinha na altura da borda da caixa, mas, ao que parece, a Apple mais tarde mudou as caixas, colocando os aparelhos mais para o fundo.

Fiquei com muita vergonha, frustrado e morri numa grana para poder trocar por um novo.

QUADRINHOS DOS ANOS 10

CAPÍTULO 3

# NÃO SOU VICIADO, MAS TENHO UM AMIGO...

# 2.617 VEZES. POR DIA.

De todos os inventos recentes, o smartphone foi o que mais trouxe mudanças de comportamento. Ele é a solução para quase todos os nossos problemas, mas, em contrapartida, trouxe alguns novos problemas que não estamos conseguindo resolver, como o vício em celular.

Sim, estamos viciados, todos nós.

Ou será que "vício" é um termo alarmista demais?

Vejamos.

Vício é um processo de adição que acontece com algo que inicialmente nos dá prazer. O celular se tornou uma das maiores fontes de prazer do ser humano moderno, especialmente quando conectado à internet. Podemos interagir com todos os amigos, receber informações em tempo real do mundo inteiro, assistir a qualquer produto audiovisual já criado pelo homem, jogar joguinhos, expressar nossas ideias, publicar fotos, fazer transmissões ao vivo, mil coisas.

A parte do prazer confere. Vamos ver se a curva da adição é aplicável aqui também.

No começo, uma pequena dose nos traz grande, imenso prazer. Com o passar do tempo, a mesma dose já não produz o mesmo resultado. Então, para tentar sentir de novo aquele high inicial, aumentamos a quantidade cada vez mais. Está configurada a curva da adição.

Alguém aqui, desde que comprou o seu primeiro celular, está usando-o cada vez menos? Acho que não. É exatamente o contrário, certo? Usamos cada vez mais o celular, respondendo a cada estímulo, notificação ou toque, de forma quase instantânea. E a explicação para esse comportamento não é simplesmente social, mas também bioquímica. Um dos caminhos possíveis para compreender essa complexa relação é o da ação da dopamina em nosso organismo.

A dopamina é um neurotransmissor, uma substância química liberada pelo cérebro. Ela é responsável por múltiplas funções para o ser humano, como memória, movimento, humor, mas a principal delas é a sensação de prazer. Ela alimenta nosso sistema de recompensa. Quando você acerta a resposta, ganha o jogo, recebe um elogio, toma um sorvete no calor, come chocolate, tem um orgasmo, descobre o caminho ou faz qualquer outra coisa agradável e prazerosa, seu cérebro fica cheio de dopamina.

A desregulação de dopamina resulta em problemas e doenças para o ser humano, como o Mal de Parkinson (falta de dopamina) e o vício (excesso de dopamina). O cérebro com excesso de dopamina é como um rio que transborda. Em seu estado normal, o rio corre tranquilamente em seu leito. Quando acontece uma inundação, a água sai do seu trajeto natural e invade casas, arrasta plantas e animais, foge do controle. Um cérebro inundado de dopamina também sai do controle. Comida em excesso, sexo em excesso, drogas em excesso, celular em excesso, jogos em excesso, prazer em excesso inundam o cérebro com dopamina, colocando-o num estado de busca contínua por mais e mais prazer, também chamado de vício.

Quando você faz sucesso com uma foto, recebe comentários elogiosos, tem um tweet muito favoritado ou apenas se sente bem ao ver um vídeo engraçado num grupo de WhatsApp, seu cérebro libera muita dopamina e você tem uma sensação agradável de prazer. E quer mais. Para isso, posta mais fotos, interage mais, participa mais dos grupos, publica mais tweets, em busca de mais prazer.

Acontece que não existe um padrão de resposta do mundo. Tem fotos que ninguém vai curtir, tweets que ninguém vai ler, posts no Facebook que não vão repercutir. Ou seja, a recompensa segue um padrão variável, aleatório, imprevisível, que não depende de você.

Como seu cérebro não encontra um padrão, mas quer o prazer de novo, ele fica num estado de expectativa pela próxima recompensa e segue tentando infinitamente, num querer insaciável, como no eterno rolar da timeline do Instagram, do Facebook, do Twitter, das páginas do Pinterest, no responder de mensagens. O cérebro entra em loop, ou melhor, em "hook", ele cai nessa armadilha sem fim, não consegue parar.

E se essa mensagem for importante? E se esse alerta for urgente? E se eu não checar o celular e for uma oportunidade de trabalho? São essas dúvidas, essas variáveis aleatórias, essas recompensas imprevisíveis que reforçam nosso comportamento.

Checamos a tela o tempo todo para ver se temos novas mensagens e notificações, fotografamos tudo e todos, corremos as timelines dos nossos perfis sociais distribuindo curtidas, jogamos joguinhos a qualquer hora e em qualquer lugar, buscamos distração na pequena tela do telefone até mesmo em momentos em que nossas vidas dependem da nossa atenção. Como nossos olhos não conseguem focar na tela e no chão ao mesmo tempo, é comum ver gente ziguezagueando pela calçada, tropeçando em coisas, abalroando transeuntes e até batendo em obstáculos. Isso quando não são atropelados durante a travessia de ruas. Esse comportamento já é tão comum que a cidade de Chongqing, no sudoeste da China, implantou duas faixas separadas na calçada, uma delas exclusiva para quem está mexendo no celular.[10]

Automatizamos tanto e tão rapidamente o hábito de olhar o celular em busca de novidades que nem nos damos conta da proporção alarmante que isso tomou. Um estudo de 2016 da Dscout concluiu que, entre toques, cliques e dígitos, o número médio de vezes em que interagimos com a tela do celular chega a duas mil, seiscentas e dezessete vezes por dia.[11] Sim, você leu certo, 2.617 interações todos os dias. De acordo com a mesma pesquisa, usuários mais obsessivos chegam a realizar cinco mil, quatrocentas e vinte e sete interações diárias. Convenhamos, 5.427 interações *por dia* é muita coisa.

E como chegamos a isso? Como foi que nossos cérebros desenvolveram essa habilidade coletiva de administrar todas essas interações constantes com um aparelho que há trinta anos nem existia?

## NOVOS CIRCUITOS NEURONAIS

A RESPOSTA PODE ESTAR numa descoberta científica considerada uma das mais extraordinárias do século XX, a neuroplasticidade, ou seja, o conceito de que o cérebro muda de acordo com as experiências vividas e da forma como é usado. Durante muitas décadas, acreditava-se que o cérebro fosse um órgão estático, com um número determinado de neurônios realizando funções de forma fixa. Esse conceito estava totalmente errado, pois, como já foi provado, é possível criar novos circuitos e conexões neuronais ao longo de toda a vida, gerando mudanças funcionais.

Quando aprendemos uma nova atividade ou treinamos

para melhorá-la, seja tocar violão, praticar surfe ou usar o celular, acontece uma mudança nas nossas conexões neuronais, chamadas sinapses. Essas sinapses são como a "fiação do cérebro". Em outras palavras, a forma como exercitamos o cérebro altera seu funcionamento. Ao desenvolvermos um novo hábito, o cérebro abre um novo caminho em sua configuração para dar suporte ao novo hábito. Quanto mais repetimos esse hábito, mais forte fica esse caminho, esse circuito neuronal. E aqui, vale lembrar que isso acontece para qualquer tipo de novo comportamento, seja ele a prática de um talento recém-descoberto ou um novo tipo de vício ou abuso. A parte boa é que, em qualquer caso, essa plasticidade garante que é possível haver reversão.

Um dos pioneiros nos estudos de neuroplasticidade é o Dr. Michael Merzenich, professor da Universidade da Califórnia. Ele destaca que podemos tanto desenvolver quanto perder habilidades, dependendo do uso que fazemos desse órgão tão complexo. E cita um exemplo: um ser humano moderno passa muitas horas por dia olhando para uma tela, porque tudo o que está ali é importante para ele. Ou seja, o que está fora da tela torna-se inútil. Dessa forma, ele está treinando a vista para olhar apenas aquele retângulo, estreitando assim seu campo de visão. Ao fazer isso de forma sistemática, ele perde progressivamente a habilidade de processar a informação visual do que está ao redor da tela. De acordo com o Dr. Merzenich, o cidadão médio americano, aos 60 anos, já perdeu 30% do seu campo visual e, aos 80, mais de 50%.[12] Felizmente, com treinamentos e exercícios é possível melhorar muito a qualidade de vida e o funcionamento cerebral, em praticamente qualquer idade.

Outro exemplo comum de perda de habilidade está ligado

à memória. Como boa parte dos nossos contatos telefônicos está na agenda do nosso celular, não precisamos mais guardar os números. E porque não treinamos mais essa capacidade, o cérebro se reconfigura para não usá-la. Muita gente já passou pela experiência de estar sem bateria no celular e descobrir que não sabe de cor o número do telefone da mãe, do escritório ou da própria casa. Assim como os músculos que você não fortalece se atrofiam, as competências mentais que você deixa de treinar também deixam de ser reforçadas. Como se diz em inglês, "use or lose it" ou, numa tradução livre e positiva, "sabendo usar não vai faltar". O problema em geral está justamente na parte do "saber usar".

Quer dizer, não é alarmismo. Estamos todos realmente dependentes de nossos celulares.

A medida dessa dependência, como em qualquer tipo de adição, é facilmente percebida pelo grau de desconforto que sentimos quando somos privados da fonte desse prazer, ou seja, quando ficamos sem o telefone.

A reação a essa abstinência varia de pessoa para pessoa, e pode ir de uma leve contrariedade e irritação até o total descontrole e desespero. O sentimento que faz com que minutos sem seu celular pareçam uma eternidade, esse "vazio" por estar sem o aparelho ao seu alcance, é um problema tão comum hoje que ganhou até um nome em inglês: *nomophobia*. NoMo é a abreviatura de "No Mobile", ou seja, *nomophobia* é a fobia que as pessoas têm de ficar sem seus celulares. Atire a primeira capinha quem nunca sentiu isso.

Nesse mar de compulsões, há os que não têm a menor consciência do quanto estão dependentes e os que têm tanta noção do que está acontecendo que compartilham seus sentimentos abertamente. Os relatos de pessoas que ficam privadas de seus celulares, seja por roubo, perda, manutenção, esquecimento ou qualquer outro motivo, são muito semelhantes. Alguns exemplos retirados do Twitter:

"Me sinto nu sem meu celular"

"Ficar sem celular é horrível parece q falta uma parte de mim q doença"

"Me sinto sem coração quando esqueço meu celular"

"Eu não largo meu celular nem dormindo pq ele fica embaixo do travesseiro kkk"

"Eu preferia morrer sem sexo a ficar sem celular, help me god"

"A coisa mais horrível do mundo é ficar sem celular"

Em todo o mundo já existem centros de estudos de dependência do celular, inclusive no interior de São Paulo, onde uma clínica oferece tratamento para o problema, bem como vários serviços ligados a universidades que tratam da compulsão e propõem desintoxicação do uso excessivo do aparelho. Profissionais de saúde mental são unânimes em dizer que, além de o uso abusivo do celular poder causar dependência como qualquer outra droga, há um agravante: ele está sempre ao alcance de nossas mãos, oferecendo o que nosso cérebro mais deseja: recompensa instantânea, especialmente nas redes sociais.

Curtidas, corações, respostas, interações, visualizações, seguidores são reforços constantes que nos alentam, confortam, oferecem aprovação e aplauso, mesmo quando não são sinceros, mesmo quando nem são reais.

O problema é que as respostas e recompensas que recebemos são mensuráveis. E os números são públicos. Todos podem ver quantas visualizações, curtidas ou comentários tivemos. Nosso sucesso ou fracasso fica exposto. E, na mesma medida em que é gostoso ter o sucesso exibido para todos, é bastante complicado e frustrante ver o fracasso em praça pública. Para alguns é tão difícil ter números baixos revelados que é preferível esconder ou roubar no jogo. E, assim, surgem mercados paralelos de compra e venda de curtidas, amigos, fãs, visualizações, seguidores.

Sim, eu sei que é difícil admitir que perdemos o controle sobre o celular, esse amigo tão querido de todas as horas. A reação mais comum quando ouvimos uma acusação qualquer é a negação. Sabe aquela piada do cara que vive de porre e, para não admitir que é viciado em álcool, diz que "só bebe socialmente"? Na visão dele o problema é que sua vida social é muito intensa. Nossa compulsão por consultar o celular segue a mesma lógica. Ou a falta dela.

## A DOR E A DELÍCIA DO CELULAR

Muito antes de "efeito borboleta" se tornar um conceito famoso por causa do filme homônimo, já era sabido que todas as coisas estão interligadas pelas leis de causa e efeito, ação e reação ou por maldições mais mundanas como "aqui se faz, aqui se paga". De fato, quanto mais usamos o celular, mais sentimos as consequências físicas e mentais desse excesso, que podem variar de pequenas dores e incômodos a doenças que comprometem nossa saúde ou a integridade física de terceiros.

## Coluna: Um buldogue na nuca

Um dos primeiros problemas de ficar muito tempo com a cara abaixada para o celular é de ordem ortopédica.

Para falar sobre esse tema, vamos fazer um pequeno exercício mental. Imagine seu rosto de perfil e seu nariz como o ponteiro das horas do Big Ben. Agora aponte o nariz para a posição 3. Seu pescoço está ereto e seus olhos estão na linha do horizonte? Ótimo, você é realmente um *Pithecanthropus erectus*. Olhando para a frente, nossa coluna fica reta, nosso pescoço estabilizado confortavelmente. Sentado ou em pé, essa sempre foi a posição recomendada para olhar qualquer tela, seja do cinema, televisão ou dos quase extintos desktops, os computadores de mesa.

Agora pegue o celular como se fosse digitar um texto (ou imagine-se pegando o celular) e olhe para a tela. Onde está seu nariz-ponteiro das horas? Muito provavelmente em algum lugar na parte de baixo do relógio, entre o 4 e o 6. Seus olhos estão voltados para baixo, seu pescoço esticado atrás e comprimido na frente.

Quando estamos em posição neutra, nosso pescoço sustenta o peso médio da nossa cabeça, algo entre 4,5 e 5,4 quilos para um adulto. Esse peso aumenta muito quando inclinamos a cabeça para baixo. De acordo com um estudo conduzido pelo cirurgião de coluna Kenneth Hansraj, publicado na revista *Surgical Technology International*, a pressão sobre o pescoço quando consultamos o celular de cabeça baixa para ler ou escrever pode chegar a 27 quilos.[13] Esse é o peso médio de um cachorro buldogue adulto.

Exceto pelos raros momentos em que você tira uma selfie do alto para parecer mais magro, durante todo o tempo em que você usa o celular seu pescoço e sua coluna estarão nessa posição de "pescoço de mensagem", o "text neck", expressão cunhada pelo médico Dean Fishman – que inclusive criou um aplicativo de mesmo nome para o sistema Android.

E qual é o tempo médio diário de uso de celular? De acordo com a empresa de estatística Statista, o Brasil está em primeiro lugar, com 4 horas e 48 minutos de uso médio por dia.[14] E esses dados são de 2016. Hoje, provavelmente cada brasileiro passa mais de 5 horas por dia com um buldogue na nuca.

São muitas as consequências de permanecer tanto tempo nessa posição tão pouco natural, com o pescoço inclinado sobrecarregando os músculos e tendões da cervical. Numa entrevista para a revista *Vogue*, o médico fisiatra Luiz Fernando Bertolucci diz que a inclinação exagerada comprime os nervos e pode causar um tipo de cefaleia, a neuralgia occipital, provocada pela inflamação dos nervos que partem da base do pescoço em direção ao crânio, dor que pode se tornar crônica.[15] O esforço muscular também pode causar hérnia de disco ou pinçamento de nervos e, a longo prazo, pode alterar a curva natural do pescoço, de acordo com Tom DiAngelis, ex-presidente da Private Practice Section da American Physical Therapy Association.[16] DiAngelis alerta também que, ao esticarmos o tecido por longos períodos, ele fica dolorido e inflama.

O ideal, dizem todos os especialistas, é diminuir o uso contínuo do celular e tentar colocar a tela à altura dos olhos em posição ereta e alongada. Outra dica é não passar muito tempo numa mesma atividade, seja jogando, respondendo mensagens, lendo posts, interagindo. Dê preferência a períodos curtos e intervalados, lembrando sempre de se espreguiçar, alongar o corpo para trás.

A postura ruim do uso do celular tem reflexos que vão além da ortopedia, já que tudo está realmente ligado, gerando problemas metabólicos. Com o pescoço esticado e a cabeça abaixada, comprimimos também os pulmões, reduzindo nossa capacidade respiratória em até 30%, segundo especialistas.[17] A corrente sanguínea menos oxigenada pode acarretar problemas vasculares. A compressão dos órgãos internos por causa da má postura também pode ocasionar problemas gastrointestinais.[18]

Se você chegou até aqui e sentiu uma vontade de sair correndo, ótimo. O corpo humano não foi feito para ficar parado, e sim para o movimento. É justamente sobre isso que estamos falando, de postura ruim e contínua por causa do celular.

Mas antes de sair correndo, talvez seja uma boa ideia terminar de ler este capítulo, porque a consciência dos problemas é essencial para gerar algum tipo de mudança. Como diria a minha, a sua, a nossa mãe, "porque é para o seu bem". Sigamos lendo, de olhos atentos, porque é deles que vamos falar. Do departamento de ortopedia, vamos para o ambulatório de oftalmologia.

## Olhos: Déficit de horizonte

O uso contínuo de celular tem dois problemas básicos para os olhos: a exposição à luminosidade da tela e o olhar muito próximo ao aparelho, que força a vista e reduz o número de vezes que piscamos os olhos.

Começando pelo fim, durante todas as horas em que estamos acordados e de olhos abertos, piscamos 15 vezes por minuto, em média. Essa quantidade é suficiente para uma boa lubrificação lacrimal. Porém, quando estamos em contato com a tela do celular, a intenção de focar a visão e o empenho em ficar alerta faz com que pisquemos menos. De acordo com o vice-presidente do Conselho Brasileiro de Oftalmologia, José Augusto Alves Ottaiano, essa exigência de um foco muito intenso do nosso olhar reduz a quantidade de piscadas a quatro ou cinco vezes por minuto, gerando uma sobrecarga ocular.[19]

Se a diminuição de piscadas e a consequente falta de lubrificação dos olhos causa incômodos praticamente imediatos, os efeitos da luminosidade da tela nos olhos acontecem mais a longo prazo. O oftalmologista britânico Andy Hepworth afirma que a luz azul-violeta da tela dos smartphones é potencialmente perigosa e tóxica para a parte de trás dos olhos, e que uma longa exposição a essa luz pode causar degeneração de uma área nobre da visão chamada "mácula", uma importante causa da baixa visão e da cegueira.[20] Segundo a oftalmologista Marcela Cypel, ligada à Unifesp e focada em pesquisas relacionadas à prevenção e envelhecimento ocular, a recomendação geral é fazer testes de vista com regularidade – ao menos uma vez por ano no caso de alterações a serem acompanhadas e uma vez a cada dois anos quando sem queixas (após os 60 anos de idade devem ser anuais sempre). Além disso, fazer pausas a cada hora quando usar os dispositivos móveis e, se possível, durante essas pausas levantar-se e usar a visão para focar ao longe, ajustar o brilho da tela e piscar mais vezes ou usar colírios que atuem como lubrificantes oculares.[21]

O uso ininterrupto do celular também pode causar miopia. Um estudo da Sociedade Americana de Oftalmologia prevê que até 2050 metade da população mundial sofrerá de miopia, um aumento drástico na incidência da doença causado por fatores ambientais.[22] Entre eles, uma "menor exposição a ambientes externos" e maior uso da visão de perto, em telas de celulares, tablets e outros dispositivos eletrônicos. Estamos sofrendo de falta de horizonte.

### Sono: A maldição da luz azul

Além dos problemas relativos à visão, estudos feitos na Universidade da Coreia, em Seul, mostraram que jovens que apresentavam comportamentos dependentes dos seus celulares eram mais propensos a insônia, impulsividade, ansiedade e depressão.

Mesmo quando não ocorre a insônia propriamente dita, o uso do celular dificulta a ocorrência do sono antes, durante e depois de você dormir. Antes, porque a luz azul emitida pela tela do aparelho afeta a produção do hormônio que ajuda a adormecer, a melatonina. O uso do celular na cama também faz com que o cérebro continue ativo e a mente fique agitada, dificultando o processo de relaxamento. E, mesmo que você consiga adormecer, deixar o celular ao lado da cama, com notificações ligadas afeta a qualidade do sono. Ou seja, cama e celular definitivamente não combinam.

Considerando-se que os dispositivos móveis são razoavelmente recentes, muitos estudos ainda serão feitos, e problemas associados a seu uso contínuo ainda serão descobertos. Todos eles, porém, são males que podemos causar a nós mesmos e que podem ser revertidos com uma mudança de hábito ou tratamento.

## QUANDO O CELULAR MATA

A PIOR CONSEQUÊNCIA, NO entanto, é o mal que podemos causar a nós e aos outros quando o celular nos distrai durante a execução de tarefas que exigem nossa atenção. O celular é maravilhoso, talvez o maior invento pessoal de todos os tempos. Mas é também um dos maiores fatores de distração.

O problema da distração ao interagir com o celular fica mais grave quando estamos realizando uma operação complexa que realmente exige nossa atenção total, como conduzir um automóvel.

**Thássius Veloso**

jornalista, palestrante e consultor da GloboNews, CBN e TechTudo

Sou jornalista de tecnologia e, uma vez, estava testando um smartphone particularmente grandão para publicar a análise num site sobre o assunto. O aparelho tinha display de 6,3 polegadas – um verdadeiro monstro.

Pois bem, após algumas semanas de avaliação, eis que eu começo a sentir uma estranha dor na mão direita. Sempre ao fim do dia sentia meus dedos cansados e alguns espasmos nesta região.

Resolvi ir ao médico entre uma pauta e outra. Sabe como é, nessa vida corrida, acabamos cometendo o erro de dar pouca atenção à saúde. Cheguei ao doutor, que fez uma avaliação que caminhava para o campo da neurologia, devido aos movimentos involuntários. Seria algum problema na "fiação" que leva as instruções elétricas do cérebro até os membros?

Exame laboratorial feito, o médico me diz que não tem nada de anormal nas minhas funções neurológicas. Ele aproveitou para perguntar como era meu hábito de uso do telefone. Expliquei em detalhes minha rotina de editor de mobile e descobri que, sim, é possível desenvolver uma espécie de tendinite nos dedos. A inflamação estava pegando no polegar.

Um parêntese: o polegar é o dedo que usamos para acessar as informações no topo da tela. Com ele fazemos o movimento de abrir a página de notificações, por exemplo. Ou seja, o uso contínuo deste "instrumento" resultou num estresse além do normal durante o experimento com o smartphone gigante.

Resumo da ópera: saí do consultório com a recomendação expressa para reduzir o tempo que passava teclando na telinha. Felizmente o review estava perto de ser publicado; pouco tempo depois, eu deixei de usar o aparelho.

A lei não permite que o motorista use o celular ao volante, mas todos os que burlam essa regra sempre acham que vão dar conta, que não há problema em olhar "rapidinho" para a tela ou responder a "só uma mensagem" de texto.

Vivi uma experiência envolvendo celular e volante, não como motorista, mas na qualidade de passageira. Estava a caminho de um evento de tecnologia numa grande empresa, sendo conduzida por um motorista profissional contratado. No meio da movimentada marginal Tietê, ele começou a mexer na tela do celular pendurado no console. Eu, que estava aproveitando a tranquilidade do banco traseiro para, mais uma vez, rever os slides da minha apresentação, fiquei muito incomodada. E preocupada. Ele tirava os olhos do trânsito e olhava para a tela do telefone. Estava lendo uma mensagem. Parei de ver meu celular e comecei a prestar atenção no trânsito e no que estava acontecendo dentro do carro. O incômodo evoluiu para preocupação quando ele passou a responder uma mensagem de texto.

Resolvi intervir sendo firme sem ser estúpida, sexy sem ser vulgar, e disse:

– Meu senhor, o senhor não pode digitar no celular enquanto dirige, é perigoso para nós dois. Se for algo urgente, pode parar num lugar seguro ou responder por voz.

Ele, que por um momento deve ter esquecido que eu estava no carro, saiu do planeta distração e voltou para o mundo da lucidez, respondendo:

– Tem razão, é que eu tinha mandado uma mensagem e só agora a pessoa respondeu e...

– Tudo bem, se for algo muito urgente pode encostar num posto de gasolina, eu não estou atrasada. O que não pode é o senhor colocar a minha vida e a sua em risco para responder em texto, porque o senhor sabe, não tem como olhar para o trânsito e para a tela do celular ao mesmo tempo. Para isso existe o viva voz, porque, apesar de o cérebro nem sempre dar conta, é possível dirigir e falar, mas não escrever.

Ele concordou e não tocou mais no celular até chegarmos.

Não sei se ele achou que era uma implicância ou um capricho meu, o fato é que digitar ao volante envolve três ações físicas ou mentais como fatores de risco:

- Perda de atenção visual – para olhar a tela, o motorista é obrigado a tirar os olhos da estrada, da sinalização, dos outros carros em movimento, ainda que ele tente olhar para ambas alternadamente.
- Perda de destreza manual – para operar controles ou digitar teclas do celular, o motorista tem que tirar uma das mãos do volante com o carro em movimento.
- Perda cognitiva – a mente do motorista não estará mais focada em dirigir (ato que exige atenção dinâmica total e visão de 360 graus, através de janelas e espelhos), mas em compreender a mensagem recebida e produzir uma resposta.

O perigo é real, tão real como as pessoas que morrem diariamente, em diferentes pontos do mundo, em acidentes causados por distração ao volante.

Aqui no Brasil, um estudo da Abramet, Associação Brasileira de Medicina do Tráfego, apontou que o celular já é a terceira causa mais frequente de mortes em acidentes de trânsito.[23] Não estamos mais falando da exceção ou do caso isolado, mas de 150 vítimas por dia, 54 mil por ano, por causa do uso de celular ao volante. Só perde em número de acidentes com vítimas fatais para o excesso de velocidade e a embriaguez ao volante.

O mais surpreendente de tudo isso é que todos esses acidentes, com mortos e feridos, poderiam ser evitados com apenas

UMA medida: não usar o celular ao dirigir. Porque, acredite, são atividades incompatíveis. Não existe isso de *multitasking*. A famosa multitarefa é um mito, uma lenda urbana, assim como a loira do banheiro e o apocalipse zumbi. Somos seduzidos pela ideia de que realizar várias atividades ao mesmo tempo é prova de eficiência. Não é. Exceto em raras condições em que essas tarefas simultâneas são automatizadas, como fazer tricô enquanto ouve música, ou dirigir cantando, não temos a habilidade de realizar tarefas de diferentes naturezas de forma simultânea. O *multitasking* é ineficiente no trabalho e perigoso quando nossa vida depende de foco e concentração, como dirigir um carro, pilotar uma moto, atividades totalmente incompatíveis com o manuseio do celular. Aqui o que vale é o velho e bom conceito de que não dá para assoviar e chupar cana ao mesmo tempo.

Precisamos, todos nós, como sociedade, olhar para o que está acontecendo nessa relação entre humanos e celulares. Para que esse aparelho que nos traz tanta facilidade e felicidade, tanta interação e informação, tanta cultura e diversão, não se torne uma ameaça ao nosso bem-estar físico, mental e emocional. Para que esse amigo constante não vire uma má influência que nos entorta a coluna, enrijece o pescoço, enfraquece a vista, suga o cérebro e nos convence de que a vida acontece em 2D numa superfície luminosa.

Os terraplanistas que me perdoem, mas um mundo em 2D não é apenas plano, é chato. Percebemos a vida, as pessoas, usando os cinco sentidos, sem contar a intuição. A vida on-line só precisa da visão e audição, porque até o tato é reduzido a toque sem texturas. Passar o tempo todo checando o celular dá a impressão de estarmos progredindo no plano mental, mas certamente estamos reduzindo e limitando nossas competências de percepção física e corporal. Tenho uma amiga muito nerd e inteligente que acordou para esse fato ao bater a cara num poste enquanto tuitava na rua.

Não devemos generalizar, mas, nesse momento, talvez não seja um exagero dizer que somos escravos dos nossos aparelhos. É como se nosso corpo ainda navegasse pelo mundo real, mas nossa alma morasse ali, nessa nova casinha, nosso celular, doce lar.

Um lar doce, de fato. O problema é que até doce, quando é demais, vicia.

Ou mata.

De verdade.

## PROIBIDO PARA MENORES?

Não são apenas os adultos que se encantam com o celular a ponto de ficarem aprisionados a sua magia. O celular é objeto de desejo também na vida dos pequenos. Em 2016, uma pesquisa realizada em conjunto pelo Serviço de Proteção ao Crédito e pela Confederação Nacional de Dirigentes Lojistas mostrou que um dos presentes mais pedidos pelos filhos dos compradores na época de Natal era o smartphone, com 17% de intenção de compra.[24] No ano anterior, essa margem havia sido calculada em 13%. A tendência, ao que tudo indica, é aumentar cada vez mais.

E criança pequena deve usar celular para brincar? A Academia Americana de Pediatria e a Sociedade Canadense de Pediatria afirmam que, de 0 a 2 anos, crianças não devem ser expostas a qualquer tipo de tecnologia; de 3 a 5 anos devem ter acesso restrito a uma hora por dia. A realidade, porém, é outra. Aqui no Brasil, por exemplo, é comum ver adultos oferecendo o celular com vídeos, desenhos animados e joguinhos como forma de distração para crianças com menos de 5 anos. O caso de sucesso da Galinha Pintadinha no YouTube ilustra bem esse fato. Em 2014, tornou-se o primeiro canal do Brasil a atingir a incrível marca de 1 bilhão de visualizações. Três anos depois, esse número já ultrapassava 7 bilhões.

Para aqueles que, como eu, nasceram antes da telefonia móvel, a babá eletrônica era a televisão. Ninguém podia imaginar, lá no começo dos anos 1990, quando surgiram os primeiros celulares, que um dia aquele monolito pesado e sem cores, que só servia para fazer e receber chamadas, poderia virar tema de debates internacionais de especialistas em comportamento infantil, discutindo se galinhas cantando numa tela minúscula podem ou não comprometer o desenvolvimento do cérebro do bebê.

Por melhor que seja o conteúdo do canal, o uso contínuo do celular para crianças é muito nocivo, especialmente antes de dormir. Uma extensa pesquisa do King's College de Londres, que reuniu dados de mais de 125 mil crianças e adolescentes de 6 a 19 anos em diversos países, apontou que o uso de celular antes de dormir pode ter efeitos que vão desde a má qualidade do sono até problemas como obesidade e depressão infantil.[25]

Nos quatro cantos do planeta, os pais se descabelam com o assunto. As dúvidas são muitas, e os consensos, poucos. Por exemplo, qual a idade certa para dar um celular a uma criança? Uma pesquisa de 2016, feita com mais de 500 mulheres americanas e publicada no TechCrunch diz que, em média, uma criança ganha seu primeiro smartphone aos 10,3 anos.[26] Mas isso foi em 2016, ou seja, "há muito tempo" em termos de internet, e nos Estados Unidos, onde os pais talvez sejam mais rígidos. Bill Gates, por exemplo, disse que só permite que seus filhos tenham celular depois dos 14 anos de idade.[27] Já na Alemanha, de acordo com uma pesquisa de 2016, 51% das crianças entre 6 e 13 anos têm seu próprio telefone.[28] Um estudo de 2015 indicou que 46% das crianças entre 9 e 16 anos em vários países da Europa já possuíam smartphones.[29] Na Coreia do Sul os índices são bem mais altos: 72% das crianças entre 11 e 12 anos são proprietárias de celulares. Evidentemente não é só uma questão de permissão dos pais, mas de poder aquisitivo.[30]

A preocupação com o uso abusivo de celulares por crianças não é só de pais, educadores e profissionais de saúde. Em janeiro de 2018, grupos de investidores que detêm 2 bilhões de dólares em ações da Apple divulgaram uma carta aberta solicitando à empresa o desenvolvimento de softwares que limitem o uso do celular por crianças, justamente para minimizar o efeito negativo que o uso excessivo pode causar.[31]

O que se pode afirmar no meio de tantas dúvidas é que criança precisa de supervisão. Fazendo um paralelo dramático, não se entrega um celular para uma criança com acesso total a tudo que existe na internet, de armas a pornografia, da mesma forma como não se dá uma faca na mão de alguém que não tem maturidade para manejá-la. Crianças têm curiosidade e destreza para usar o aparelho, mas não possuem discernimento para evitar conteúdos prejudiciais ou contatos perigosos.

Se a idade de adesão ao celular é controversa, as análises sobre a hiperconexão dos adolescentes são totalmente contraditórias. Por exemplo, a Common Sense Media, uma ONG focada em ajudar crianças, pais, professores e legisladores a fazer bom uso da mídia e da tecnologia, fez uma enquete com 1.240 entrevistados e o resultado foi que 50% dos adolescentes acham que estão viciados em seus celulares.[32] A especialista em detox digital Holland Halls vai mais longe e chama a tecnologia de "vício do século XXI" em seu livro *Consciously Connecting: A Simple Process to Reconnect in a Disconnected World* (Conectando conscientemente: uma forma simples de se reconectar num mundo desconectado).

Diariamente lemos matérias de jornalistas e estudiosos mostrando os riscos que o excesso de uso do celular traz para a saúde dos adolescentes, incluindo a depressão.[33] Na Alemanha, um estudo aponta que mais de 100 mil adolescentes são viciados em redes sociais.[34] E aí vem a pergunta: os adolescentes estariam "viciados" nos celulares ou nas redes sociais? Ou é a mesma coisa?

Para o pesquisador Samuel Veissière, da Universidade McGill, no Canadá, o vício não é tecnológico, mas social.[35] O ser humano é programado para olhar para o outro, saber da vida do outro, comparar-se com o outro. O celular ou a internet seriam apenas tecnologias de acesso ao que realmente queremos: interagir com o outro. Ou seja, o ser humano é viciado em interação social, a conexão é apenas a forma de atingir nosso desejo.

Mesmo que o culpado seja o vício social e não o aparelho, o uso excessivo do celular pode ser responsável por problemas físicos de postura, cognitivos ou resultantes da falta de atenção, como vimos. Não há como negar que esse novo hábito de olhar o celular o tempo todo, quando realizado durante atividades que exigem nossa atenção, como dirigir, geram graves consequências.

Agora vem a parte curiosa da controvérsia: enquanto uma parte do mundo demoniza o celular, apontando-o como responsável por destruir o cérebro dos adolescentes, tornando-os antissociais, depressivos, ansiosos e totalmente distraídos, um longo artigo da jornalista e escritora Carlin Flora publicado na conceituada revista *Scientific American* questiona se todas essas suposições são realmente procedentes.[36]

**Rafinha Bastos**
apresentador, comediante, ator, jornalista, habita a internet desde que era tudo mato

Eu tive uma namorada que era muito viciadinha, passava o tempo inteiro no celular. Durante muito tempo fiquei extremamente desconfiado, achava que ela estava transando com o Brasil, porque ela não saía da frente daquele celular.

Até o dia em que eu resolvi pegar o celular dela, que é uma coisa que não se faz, porque quando a gente pega o celular de outra pessoa, alguma merda você vai encontrar. Alguma coisa vai te deixar desconfiado e sua vida vai virar um inferno. Mesmo que tudo esteja certo, você vai achar que a pessoa apagou. É uma situação em que todo mundo sai perdendo, não tem jeito.

Quando peguei o celular dela, tinha uma conversa muito carinhosa com um cara cujo apelido, por incrível que pareça, era "Tigrão". Parece coisa de roteirista do *Zorra Total*, mas o "Tigrão" era tratado com muito carinho, com coraçãozinho e tudo, e eu fiquei transtornado. E quando você fica transtornado, não consegue entender direito o que está escrito, porque sobe o sangue e tudo vira o apocalipse.

E eu briguei muito com ela. Fiquei muito puto. Cheguei com duas pedras na mão e ela deixou eu falar, durante muito tempo. Eu xingando, e ela quieta. Era quase uma arrogância da parte dela, ouvindo eu falar tudo aquilo sem reagir, como se ela estivesse muito certa.

Foi assim que eu descobri que "Tigrão" era o apelido do irmão dela, o Fernando.

Carlin começa o texto citando um estudo da professora de psicologia da Universidade Estadual de San Diego Jean Twenge, publicado on-line em 2017, em que ela afirma que os adolescentes de hoje têm menos propensão a beber, fazer sexo, engravidar, dirigir, sair e trabalhar do que as gerações anteriores.[37] Porém, segundo Twenge, essas tendências aparentemente positivas têm uma explicação negativa: uma preocupante relutância em crescer. O celular nas mãos de todos os adolescentes, diz a pesquisadora, tem um efeito profundo em suas vidas, transformando-os em pessoas infelizes.

Pouco tempo depois, a própria Twenge publicou outro estudo em parceria com dois colegas e descobriu que os adolescentes de hoje que usam meios digitais durante pouco tempo por dia são mais felizes e estão mais satisfeitos com suas vidas do que os que não usam meios digitais de forma alguma.[38]

O mais provável é que, por estarmos falando de um hábito disseminado em todo o planeta, mas ainda recente em termos históricos, ainda haja muito para ser estudado no que se refere aos efeitos do uso do celular sobre o desenvolvimento dos adolescentes, tanto em termos neurológicos quanto comportamentais. O que talvez valha ser discutido não é o uso do smartphone em si, mas sim a forma de usá-lo. Não o que eles estão fazendo no celular, mas o que eles estão deixando de fazer porque ficam com a cara na telinha.

O que sabemos é que, de fato, adolescentes amam interagir socialmente e para isso usam o celular de forma quase ininterrupta. O sistema de recompensa das curtidas, do aumento dos seguidores, das aprovações de amigos e fãs, tem um impacto maior no cérebro dos jovens do que no dos adultos, gerando uma imensa sensação de prazer. Além disso, os teens são influenciados para gostar de imagens que já tiveram aprovação social, como foi provado. Ser aceito, ser aplaudido, reforça e motiva o adolescente a continuar publicando nas redes.

E, porque as curtidas acionam os mesmos circuitos cerebrais que outras drogas, a mídia logo as associou a cocaína e crack, fato considerado totalmente equivocado por Lauren Sherman, que faz seu pós-doutorado na Universidade de Temple. Ela afirma que as interações sociais sempre excitaram os cérebros de adolescentes, muito antes da internet, quando jovens esperavam por ligações nos telefones discados ou atiravam pedras para quebrar uma vidraça.

Talvez a conclusão mais lúcida para o momento seja a do diretor do Centro de Saúde Mental Digital da Universidade de Oregon, Nicholas Allen: "Não temos evidências claras sobre como o uso dos smartphones afeta o desenvolvimento cerebral." O professor de psicologia da Universidade de Temple, Laurence Steinberg, que estuda desenvolvimento de adolescentes, concorda e acrescenta: "E qualquer pessoa que diga o contrário estará apenas especulando."[39]

As próprias redes sociais ainda são questionadas e estudadas o tempo todo sem que se chegue a uma conclusão definitiva. Se, de um lado, muitos afirmam que elas mostram o pior lado dos jovens, um estudo holandês liderado pelas pesquisadoras Helen Vossen e Patti Valkenburg apontou que o maior uso de redes sociais por um grupo de adolescentes aumentou sua capacidade de compreender e compartilhar os sentimentos de seus pares, gerando assim um aumento de empatia.[40]

O que pode estar acontecendo é que jovens que já são propensos a ansiedade, depressão ou têm problemas de baixa autoestima, por exemplo, estejam usando seus celulares de forma a potencializar seus problemas. Assim como adolescentes que são intrinsecamente narcisistas postariam muito mais selfies e se exibiriam nas redes sociais de forma ostensiva. O celular, afinal, além de ser um centro de entretenimento, um meio de comunicação e um terminal de acesso a informação, é uma poderosa plataforma de autopublicação. Mas o consumo de informação de uma pessoa, em média, é muito maior do que o volume de conteúdo que ela publica.[41]

Outro ponto a ser levantado nessa onda de demonização do celular e das redes sociais é que, do total de horas que um adolescente médio está conectado a seu celular, boa parte costuma ser dedicada a jogar e ouvir música.

Talvez o único ponto em comum em todas essas questões seja que é a forma como você usa seu celular que pode ter efeitos negativos ou positivos em você. Mais ou menos como aquele ditado que diz que a diferença entre o remédio e o veneno está na dose.

QUADRINHOS DOS ANOS 10

CAPÍTULO 4

# POR QUE QUE A GENTE É ASSIM?

## MEU CELULAR, MINHA VIDA

VOLTANDO DE METRÔ numa das linhas mais longas de São Paulo, acompanhei, junto com todo o vagão, a conversa de uma garota que reclamava com a mãe por ter um celular totalmente ultrapassado. A cena foi mais ou menos assim:

**INT. METRÔ - DIA**

*Garota de cabelo azul-escuro, 20 e poucos anos, mochila no chão, fone de ouvido com um som altíssimo, encostada na porta do vagão reservado para embarque preferencial, pega o celular, faz uma ligação e dá início a uma conversa gritada que pode ser ouvida de longe.*

— Oi, mãe, tudo bem?

— ......

— Tô no metrô.

— ......

— Não, eu não fui trabalhar.

— ......

— Não fui, ué. Se pá não vou nunca mais. Eu odeio meu chefe, odeio, odeio!

— ......

— Porque ele implica comigo! Com meus piercings, com minha roupa, ele me odeia!

— .....

— Quê?! Fala mais alto, mãe! Eu não estou te ouvindo!

— ......

— Eu não tô surda, mãe, esse celular é que é um lixo!

— ......

— Não é velho?!? Como que não é velho, mãe? Eu tenho ele desde pequena!

— ......

— Mãe, esse celular é do tempo do telefone da Xuxa!

— ......

— Não precisa jogar na minha cara que foi você que me deu e eu não tenho dinheiro pra comprar outro, eu seeeeeeei!

— ......

— Tá, vai acabar a bateria.

— ......

— Saco, viu.

*Garota desliga o celular, guarda no bolso da calça, senta no chão do vagão, começa a pintar as unhas e tenta agir naturalmente apesar de ser o foco de todos os pares de olhos de idosos, gestantes, portadores de necessidades especiais e demais passageiros representando o time da mãe dela.*

Eu entendo o lado do povo do vagão. Sempre que uma pessoa se comporta de uma forma que destoa da maioria é comum ver olhares e reações faciais de reprovação, fora as manifestações sonoras como bufadas. Entendo também o lado da mãe. Imagino que ela tenha feito seu melhor, comprou para a filha o celular que seu orçamento permitiu. E também consigo compreender a garota, que odeia seu emprego, odeia o lugar onde mora (ela falou sobre isso na ligação seguinte), odeia seu chefe e, sobretudo, odeia seu celular.

Ter um celular antigo, sem recursos, além de ser limitante é também uma desvantagem social. Um jovem pode não ter casa própria, carro, saldo no banco ou emprego, mas ter um bom celular é essencial para navegar o mundo, quase uma questão de segurança.

Mas, sim, é também uma questão de status. Não há crime, pecado ou demérito em querer ter um bom aparelho, algo que dê orgulho de portar. Sem contar que, tecnologicamente falando, os avanços são constantes, basta citar a evolução na qualidade e recursos para tirar fotos e vídeos. O hábito de tirar selfies e gravar vídeos, por exemplo, foi tão popularizado que os fabricantes se viram obrigados a melhorar a qualidade das câmeras dianteiras. É uma forma de compreender que, para os humanos, ver a si mesmo na tela é mais encantador do que captar paisagens.

## SELFIES PARA QUE TE QUERO

Se um dia já rimos dos índios que trocavam coisas de valor por espelhinhos, hoje são eles que podem ver nossa loucura por selfies e dizer que o jogo virou. Mas nem eles estavam errados nem nós estamos. Não há certo ou errado aqui, há a realidade. Nossa imagem refletida nos causa fascínio, seja no espelho, no vidro, na tela escura, na câmera aberta. É mágico olhar a própria imagem, nosso "gêmeo especular". Olhar para o resultado de nossas selfies nos remete ao mito de Narciso, que ficava entorpecido com a própria imagem e beleza refletidas na água.

O fenômeno selfie é tão poderoso que muitos simplesmente não se controlam. Tem gente que tira e publica várias selfies todos os dias. Fico com a impressão de que é uma espécie de atestado de que elas continuam existindo.

Há um pequeno detalhe, porém. Todo mundo tira selfies, mas nem todas as fotos são publicadas. Publicamos apenas aquelas que passam primeiro por nossos filtros, conscientes e inconscientes. Filtros de interesse, de vaidade, de insegurança, de falta ou excesso de autoestima, que vão muito além daqueles oferecidos pelo Instagram. Postamos as fotos que mostrem não necessariamente como somos, mas como gostaríamos que os outros nos vissem, ou seja, nossa melhor versão.

Em alguns casos, essa "melhor versão", dependendo do grau de vaidade, pode passar pela mesa de cirurgia. E não são poucos os casos. Segundo um estudo publicado no Jama Network, como nos conta o site Tecmundo, 55% das cirurgias plásticas de nariz feitas em todo o mundo durante o ano de 2017 tiveram como motivo "sair melhor em selfies".[42]

E isso é geral. Aponte uma câmera de celular para uma pessoa e ela pedirá um tempo para se arrumar, ajeitar o cabelo, passar um batom. Ou, se não der para investir na produção, ela encolherá a barriga, escolherá o melhor ângulo, fará uma graça, uma pose, um bico. Até o macaco Naruto (na verdade é a macaca Ella), que pegou a câmera do fotógrafo David Slater, fez uma pose e deu um sorriso para sair bem na selfie. Curtir uma selfie parece ser mais do que humano, talvez seja darwiniano. De tão popular, "selfie" foi escolhida como palavra do ano do Dicionário Oxford em 2013.

Em algumas ocasiões, essa necessidade de registrar a própria presença em lugares de destaque através de uma selfie extrapola qualquer noção social de bom senso ou empatia, como por exemplo em velórios de personalidades públicas. Para o narcisista, o resto do mundo é só cenário, as pessoas são figurantes. O que importa é só ele, sua popularidade, seu feito. Por falar em "selfie para mostrar seu feito", em dezembro de 2017, agentes policiais que prenderam um traficante famoso no Rio de Janeiro fizeram selfies sorridentes junto com o preso algemado.[43] Nem sei o que dizer, só sentir.

Há casos em que as selfies não são apenas socialmente inadequadas ou invasivas, mas perigosas. A mídia nos traz dezenas de casos de pessoas que morreram tentando fazer selfies em pontes, penhascos, precipícios, torres altas, viadutos. Todos são casos muito tristes, de pessoas ativas, saudáveis, que perderam a vida em acidentes gerados por uma foto no celular, como o caso do indiano que morreu ao tentar tirar uma selfie com um elefante, que contei no início deste livro. Não faz sentido culpar as vítimas, nem demonizar o celular ou a selfie, mas fica a lição de que é preciso ter muito cuidado para escolher um local seguro na hora de olhar para a tela do celular e perder o foco da realidade.

Perder o foco da realidade foi exatamente o que aconteceu com uma blogueira que tentou passar uma imagem de vida perfeita e, para isso, gastou o dinheiro que não tinha na produção dessas selfies. Quando ela se deu conta, suas dívidas já superavam a barreira de 35 mil reais.[44] Ou seja, de real, só a dívida.

Eu sei que acontece de "esquecermos" que tem mais gente no mundo além de nós. Foi esse esquecimento que me fez passar um vexame com delay durante um fim de semana na praia.

**Miá Mello**
atriz, apresentadora, comediante

Faço parte da estatística de pessoas que são dependentes desses aparelhos não tão móveis, uma vez que ando com o fio do carregador na bolsa e o plugo a qualquer remota chance.

Tenho um computador em casa que praticamente virou enfeite. Só serve para plugar na TV para assistir alguma coisa. Resolvo TUDO no celular. Leio contratos, roteiros, assisto séries (descobri há pouco a maravilha do download da Netflix, ando deslumbrada). Já me peguei assistindo a uma série (*The Killing*, fantástica, já viu?!) na frente da TV, no celular. Notei aí que minha relação com a televisão tinha de fato azedado.

Meus textos, ideias, toda a minha agenda, meus contatos, tudo meu está no celular. Mas já não sinto aquela angústia do medo da perda. Tratei de colocar tudo na nuvem e, se perder o aparelho, é só chorar a perda financeira mesmo. Apesar de ter colocado meu telefone no seguro.

Uma vez minha mãe me disse: "O celular é a sua joia." Achei a observação muito pertinente. Não sou do tipo bolsas-sapatos caros. Ela tem razão, se bobear o celular é o objeto mais caro que anda comigo.

Sou do tipo que digita mais rápido no microteclado do que no tradicional, me irrito, sim, com o corretor, mas acho que as vantagens são inúmeras e sei o seu valor na escrita corrida. Amo descobrir aplicativos e sentir que cada vez mais as coisas são feitas para essa tela menor.

Eu checo e-mail quando acordo e tenho todo o meu ritual de checar as redes antes de levantar. E acho que só falta o celular sair da mão. Aí ninguém segura mais. Uma lente, um chip, um dispositivo, sei lá. Tenho certeza que estamos próximos disso e serei uma *heavy user* também.

Deitada na esteira, pensei em pegar o celular e, disfarçadamente, tirar umas fotos do meu corpo para dar um check. Tirei fotos de cima, de lado, das coxas, dos glúteos, enfim, dei aquela geral para verificar o resultado. Achei que ninguém no universo perceberia meu autoescaneamento. No mesmo dia, no mercadinho da pequena praia onde eu estava, um rapaz me abordou dizendo: "Oi Rosana! Eu te sigo no Twitter! Te vi hoje na praia! Tava tirando um monte de selfie de tudo quanto é lado!"

Sério. Nessa hora, se eu pudesse, dava unfollow em mim mesma.

Por falar em unfollow, um dos momentos em que tomei consciência do meu nível de dependência do celular está ligado ao Twitter. Sempre que tomo banho em casa, minha cachorrinha e meu celular vão junto comigo. Ruby, minha schnauzer, fica deitadinha no tapete em frente à pia, e o celular (ele não tem nome) me aguarda sobre a bancada. Durante o banho pensei em alguma coisa "urgente" que eu "precisava tuitar" naquele átimo. Saí do chuveiro antes de passar o condicionador no cabelo, vesti o roupão de banho, sequei as mãos, peguei o celular e postei. Tirei o roupão novamente e voltei para terminar o banho.

Essa história exemplifica, mas não explica a relação de dependência patológica que estamos vivendo com esse aparelho. Não conseguimos mais largar o celular, nem por breves momentos, sem padecer de um grande sofrimento. Mandá-lo para o conserto e ficar um dia ou algumas horas privados de suas benesses chega a ser doloroso. Um colega de trabalho que precisou deixar o telefone numa assistência técnica por quatro horas para resolver uma avaria da tela não conseguia se concentrar para trabalhar, como se estivesse sofrendo de síndrome de abstinência. Ele chegou a pensar em voltar lá e resgatar o aparelho do conserto.

Num domingo de muito sol à beira da piscina, experimentei

uma das maiores provas do quanto meu celular e eu somos uma pessoa só. Eu estava na sombra, confortavelmente deitada numa espreguiçadeira, com meu celular na mão. O tempo todo eu lia tweets, respondia mensagens e, em seguida, levantava com ele na mão, jogava a bola para o cachorro brincar, voltava e postava uma foto ou procurava uma notícia. De vez em quando largava o celular na mesinha para retocar o bronzeador. Fiz isso repetidas vezes, de forma totalmente automática.

De repente, me dei conta que estava morrendo de calor. Olhei o aplicativo da previsão do tempo e vi que fazia 32 graus. Num impulso, levantei da cadeira e pulei na piscina. Assim que meu corpo mergulhou na água, gelei. Entrei em pânico. Eu não tinha certeza se tinha pulado com ou sem o celular na mão. Não, eu não tinha nada na minha mão direita, mas sentia que ele estava comigo. Para meu cérebro ele já era parte de mim.

A essa altura já entendemos que não temos controle sobre a compulsão pelo celular. O que falta entender é por que é tão fácil ficar viciado no uso do celular. O que é que ele tem que faz com que pessoas de diferentes, idades, culturas, fiquem hipnotizadas por suas deliciosas possibilidades? É o mesmo mecanismo que nos prende aos joguinhos? Os fabricantes fazem isso de forma proposital, visando à criação da dependência? O que faz com que o celular altere nosso comportamento, nosso destino, assim que o pegamos em nossas mãos? Por que, mesmo quando estamos felizes com amigos, familiares, colegas de trabalho, damos prioridade para qualquer alerta que chegue em nossos aparelhos e deixamos as pessoas ao nosso redor em segundo plano?

Qual é, afinal, a urgência de ler um comentário numa foto, num vídeo, um reply, uma DM (Direct Message), de postar uma frase, ou dar um retweet num sábado à noite num jantar com a família? O celular escravizou nosso cérebro? Perdemos o controle sobre nossa própria vontade? Ele gera uma nova compulsão ou apenas dispara comportamentos compulsivos já adquiridos?

Estudiosos do comportamento humano tentam, há décadas, jogar luz sobre essas e outras perguntas. Para isso, vamos pedir ajuda a Pavlov, Skinner, aos universitários, neurocientistas e também a especialistas em games, marketing e a todos os que querem entender essa caixinha de surpresas cinzenta chamada cérebro, seja para desvendar mistérios da natureza humana ou para vender refrigerante.

## CONDICIONAMENTOS MENTAIS

Vamos começar falando do conceito de "reflexo condicionado" criado por um médico russo, premiado com o Nobel de Fisiologia ou Medicina de 1904. Ivan Pavlov descobriu o reflexo condicionado enquanto estudava a ação de enzimas no estômago de animais. Como sabemos, sempre que oferecemos comida para um cachorro, ele começa a salivar, dando início ao processo fisiológico que prepara o estômago para digerir o alimento. Aliás, não acontece só com o cachorro, todos nós reagimos assim quando vemos um prato de comida boa ou sentimos o cheiro gostoso de um alimento sendo preparado – daí a expressão "dar água na boca".

Para usar os termos corretos, Pavlov chamava a comida de "estímulo" e a salivação de "resposta". A correlação entre a comida (estímulo incondicionado) e salivação (resposta incondicionada) foi definida por Pavlov como "reflexo incondicionado", porque não depende de nenhuma condição, acontece de forma natural e espontânea.

Se em vez de comida o cão for exposto a um som, digamos,

de uma campainha, ele não saliva. O cão apenas vira-se para ver de onde vem o som. Como o estímulo "campainha" não gera resposta "salivação", ele é chamado de "estímulo neutro".

Pavlov então uniu as duas coisas, a campainha e a comida, ou seja, o estímulo neutro e o estímulo incondicionado. Primeiro a campainha soava. Em seguida, a carne era oferecida ao cão e ele começava a salivar. Quando esse procedimento era feito de forma repetida, após um determinado número de vezes, bastava soar a campainha para que o cão começasse a salivar, antes mesmo de receber a carne.

O cão aprende, ou melhor, se condiciona a esse padrão, a essa correlação. O som da campainha é sinal de que haverá carne. Não é que o cachorro pense: "Opa! Tocou a campainha! Vem comida por aí, vou começar a salivar para preparar a digestão!" O organismo do cão se condiciona a reagir ao sinal da campainha, salivando, produzindo enzimas para a digestão, como se já estivesse na presença da carne. Um estímulo que era neutro, sem nenhuma associação com alimento, passou a gerar respostas fisiológicas no cão. O cão adquiriu um "reflexo condicionado". Com essas experiências, Pavlov inaugurou a psicologia científica.

O reflexo condicionado, no entanto, não é permanente. Se a campainha soar seguidas vezes sem que a carne seja oferecida, após um determinado número de ocorrências o cão deixa de responder com salivação. Ele se "descondiciona". Para que o reflexo condicionado permaneça é preciso haver reforço.

No mundo do marketing, isso é facilmente observável nos canais de vendas pela TV. Quando o telefone para comprar o produto aparece na tela e o apresentador ou apresentadora dá o comando para ligar, o número de ligações dispara, o gráfico mostra um imenso pico de chamadas. O famoso "ligue djá" é o estímulo, e a ligação é a resposta. Estamos condicionados a fazer isso.

Quando a ação de merchandising termina e o telefone sai da tela, as chamadas caem vertiginosamente e, em pouco tempo, vão a zero. Se não houver reforço, ninguém mais liga para comprar o sensacional descascador eletrônico de abacaxi que ainda oferece óculos Ambervision para os 300 mil que ligarem primeiro. Se não tiver mais carne depois da campainha, o cachorro nem olha mais quando ela toca. No mesmo ano em que Pavlov recebia seu prêmio Nobel por esse estudo, nascia nos Estados Unidos Burrhus Frederic Skinner, que se tornaria um dos maiores estudiosos do comportamento humano do século XX. Influenciado pelo trabalho de Pavlov e seu reflexo condicionado, Skinner criaria o conceito de "condicionamento operante" e passaria a ser considerado um expoente do behaviorismo.

O condicionamento operante cria novos comportamentos através da recompensa para o indivíduo que "acerta", ou seja, que opera de certa forma diante de uma necessidade. Depois de repetidas vezes, ele fica condicionado a operar dessa forma sempre que tiver uma necessidade, porque vai ser recompensado, exatamente como fazemos no treinamento de cachorros para que aprendam um comando ou façam xixi na folha de jornal. O cachorro não nasce sabendo que o lugar para fazer xixi naquela casa é o jornal na lavanderia, não é um simples reflexo incondicionado como salivar diante da comida, nem um reflexo condicionado que associa a salivação a uma campainha.

O condicionamento operante é, por definição, um mecanismo que premia (dá biscoito) o indivíduo (cachorro) sempre que ele opera de uma certa forma (faz xixi no jornal), até que ele fique condicionado a associar (sozinho) uma necessidade (vontade de fazer xixi) a esta ação que dá prêmio (fazer xixi em cima do jornal), criando assim um hábito e modelando seu comportamento.

O americano criou sua famosa "caixa de Skinner", fazendo experiências com ratos. Um ratinho faminto é colocado numa caixa onde há uma alavanca que oferece comida quando acionada. O ratinho não sabe disso e fica perambulando pela caixa procurando comida. Eventualmente bate na alavanca, que libera uma porção de comida. Ele logo aprende que esse comportamento (acionar a alavanca) é premiado com uma recompensa (alimento).

Como se sabe, ratos não acionam alavancas naturalmente. Eles aprendem (se condicionam) esse novo comportamento (acionar a alavanca) sempre que têm uma necessidade (comer) porque recebem uma recompensa (alimento). O prêmio cria um novo hábito, modela o comportamento do animal.

Agora vem a parte mais eletrizante, a caminho da compreensão de nosso comportamento com o celular.

Já sabemos que o cão deixa de salivar se por repetidas vezes não dermos comida quando a campainha toca, ou seja, ele perde seu reflexo condicionado. Cessa o estímulo, cessa a resposta. A novidade é que o condicionamento operante não é permanente. O ratinho não se transforma num puxador de alavancas pela vida afora. Se o alimento não for entregue quando ele puxar a alavanca por várias vezes seguidas, ele vai parar de acioná-la. Cessa a recompensa, cessa o comportamento.

Além de ratinhos, Skinner também testou pombos em sua caixa. A história a seguir é real e maravilhosa, porque Skinner provou, através de um estudo apresentado em 1947, que pombos podem ser condicionados a desenvolver superstições.

Na pesquisa, um grupo de pombos foi submetido a uma dieta que reduziu o peso corporal de cada indivíduo a 75% do peso normal quando bem alimentados. A cada dia, durante alguns minutos, eles recebiam alimento com intervalos regulares através de um mecanismo. Muito provavelmente os pombos não conseguiram "desvendar" o mistério, o padrão de regularidade com que a comida era fornecida, mas cada um desenvolveu um "comportamento supersticioso", associando um movimento corporal particular à chegada do alimento.

Teve pombo que achava que girando duas vezes pela caixa no sentido anti-horário a comida chegava, outro acreditava que o alimento só vinha se ele fizesse um movimento pendular com a cabeça e um terceiro tinha certeza de que seria alimentado se balançasse a cabecinha para os lados.

Ao final da experiência, 75% dos pombos tornaram-se supersticiosos. E, antes de julgar os pombos como idiotas ou suspeitar da veracidade desse comportamento, vamos olhar para o ser humano e suas superstições sem nenhuma lógica. Temos as clássicas e coletivas, como bater três vezes na madeira para isolar o azar, entrar com o pé direito para dar sorte, não passar o saleiro de mão em mão para o dinheiro não ir embora. Mas e aquelas que a gente inventa? Como no futebol, por exemplo. Você está assistindo ao jogo e seu time ganha. Você percebe que sua camiseta estava do avesso e cria uma "condição" mental, associando essa forma de usar a roupa com a vitória do seu time. No jogo seguinte, você voluntariamente veste a camiseta do lado avesso achando que assim seu time vai ganhar. Em que isso é diferente do pombo que recebeu a comida por acaso, justamente na hora em que estava girando anti-horário com a cabecinha para o lado e associou as duas coisas? Agora é assim: para o seu time ganhar você vira a camiseta do avesso e a pomba, gira.

Outro autoengano curioso são as crenças que o cérebro inventa, tirando conclusões erradas a partir de observações. Um exemplo maravilhoso foi descrito por Leonard Mlodinow no livro *O andar do bêbado*. Ele conta a história de um aluno de pilotagem que um dia fez um pouso perfeito, muito acima do normal. O instrutor de voo ficou muito orgulhoso e elogiou o aprendiz. Na aula seguinte o aluno fez um pouso bastante ruim. E o instrutor concluiu que "não se pode elogiar o aluno, porque ele fica cheio de si e sua performance cai visivelmente".

O que o instrutor não entende é que todo aluno, todo mundo, tem um desempenho *médio*. Um piloto, um atleta, um jogador, pode ter um resultado muito acima da média num dia e outro muito abaixo no dia seguinte. Na média ele tem um desempenho que, com mais aulas e treinos, pode ser melhorado. Não foi o elogio que, necessariamente, fez o aluno piorar. Talvez ele fizesse um pouso ruim mesmo sem o elogio anterior, era só um dia de mau desempenho. Mas o instrutor já tirou uma conclusão e criou uma crença.

Talvez, um dia, alguém tenha tomado um copo de leite, comido uma manga e em seguida passado mal por qualquer outro motivo (por exemplo, uma feijoada gordurosa antes do leite). Mas se a pessoa associa manga com leite a passar mal, passa a acreditar que a combinação é a causa.

Crenças inventadas, conclusões apressadas a partir de um ou dois dados, manias, superstições, são associações condicionadas, não são leis da natureza. Se bater três vezes na madeira blindasse alguém contra os problemas da vida, os marceneiros e pica-paus seriam imortais.

## MÁQUINA DE PREDIÇÕES

Aparentemente, Skinner não acreditava em superstições do tipo "em time que está ganhando não se mexe", porque ele continuou suas investigações para descobrir se existia uma forma de o condicionamento operante se tornar permanente.

Skinner testou muitas outras possibilidades para encontrar

essa resposta, como fixar um número de vezes que a alavanca deve ser acionada para dar comida, ou fixar intervalos de tempo para oferecer comida. Até que descobriu o conceito de "esquema de reforço variável" e isso mudou tudo.

O esquema (ou agendamento) de reforço variável é basicamente a razão pela qual as pessoas jogam nos cassinos, apostam na loteria, checam os celulares e respondem a qualquer alerta, toque ou notificação sempre que eles acontecem.

Skinner descobriu que, se a comida fosse fornecida de forma aleatória, sem um padrão fixo, o ratinho continuaria puxando a alavanca sem parar, de forma compulsiva, mesmo se a partir de um ponto a comida não fosse mais fornecida. Essa falta de padrão, ou aleatoriedade (*alea* em latim quer dizer "sorte", no sentido de acaso) pira qualquer cérebro, do ratinho e do ser humano. E nos coloca num comportamento compulsivo, de vício.

Por quê? Vamos ver o que dizem os especialistas.

Nosso cérebro não é apenas um processador, nem um computador, nem uma fábrica de pensamentos. Segundo o neurocientista Jeff Hawkins, o cérebro é uma *máquina de predições*: ele quer predizer e acertar.[45]

Essa máquina de predizer tenta, o tempo todo, antecipar comportamentos adequados, baseando-se em dados e estímulos que recebe e em estímulos e dados anteriores, que estão na memória. E, embora todo mundo acredite que aprendemos com nossos erros, o cérebro aprende muito mais rápido e melhor com os acertos. Não tem nada que o cérebro goste mais do que de acertar o que ele mesmo predisse.

Sabe quando você prediz que algo vai acontecer e essa coisa acontece e você fica naquela euforia repetindo "Eu não disse? Eu não disse? Eu disse!"? É seu cérebro que está todo felizão berrando "Eu não predisse? Eu não predisse? Eu predisse!". O bagulho é tão doido que até quando você antecipa que uma coisa vai dar errado e ela dá mesmo, você fica feliz porque deu errado, apenas porque "acertou"!

Esse mecanismo explica por que crianças adoram assistir mil vezes ao mesmo filme. É o pequeno cérebro predizendo o que vai acontecer e sempre acertando. "Agora a rainha má vai dar uma maçã... Ahá!... Agora a Branca de Neve vai pegar a maçã e vai morder... Não disse? Mordeu! ... Agora ela vai cair porque a maçã estava envenenada... Aí, não disse? Morreu!"

O mesmo acontece quando conseguimos formar um par no jogo da memória. O cérebro fica na maior alegria! Sempre achei que o cérebro humano tem dois hemisférios para poder se autoaplaudir.

Justamente porque o cérebro funciona com padrões e sequências a partir dos quais tenta adivinhar e predizer o que virá, ele pira diante da aleatoriedade, do imprevisível, das recompensas variáveis. O cérebro humano convive com tudo, menos com a dúvida, a incerteza. Ele precisa saber, entender, comparar para predizer. E não vai sossegar enquanto não achar esse padrão, mesmo que ele não exista. (Em algumas doenças mentais, como a esquizofrenia, a pessoa frequentemente "vê" padrões inexistentes, como mensagens que precisa decifrar. O matemático John Nash, que sofria de esquizofrenia e inspirou o filme *Uma mente brilhante*, via padrões e códigos em páginas de jornais e tentava decifrá-los.)

Por mais que o cérebro tente racionalizar, compreender ou antecipar, somos mais do que apenas a parte lógica. Somos também nossos sentimentos, emoções, desejos. Queremos ser amados, queremos nos expressar, queremos a aprovação dos outros. Queremos fazer sucesso. E, na internet, fazer sucesso significa ter bons números.

Ah, os números. O cérebro adora os números. Eles seguem

**Milton Jung**
jornalista, radialista, âncora da Rádio CBN, escritor

Minha relação com o celular começou com um Gradiente operado pela BCP, em 1998. A evolução dos celulares foi veloz e, na velocidade com que se desenvolvia, eu tentava acompanhá-los. A coisa ainda ia bem enquanto sua única serventia era conversar com outras pessoas. O problema começou mesmo quando outras possibilidades surgiram, especialmente a de se divertir com jogos eletrônicos.

A perdição foi quando descobri o Candy Crush. Apaixonei-me pelos docinhos e brigadeiros que explodiam conforme a combinação de cores. E a cada etapa encerrada uma nova tentação surgia. Gula! O susto foi descobrir que, para passar as fases mais rapidamente, bastava comprar alguns itens. Registre seu cartão de crédito e a próxima meta estará logo ali! Simples assim!

Então, duas forças internas se encontraram: o desejo de jogar e vencer sempre e o terror de gastar dinheiro à toa. Aquele foi um momento decisivo na minha relação com o celular. Ou eu ou ele? Quem manda em quem? Vai encarar?!

Não pense que meu desejo de jogar arrefeceu. Joguei Candy Crush em lugares e momentos inusitados. Durante palestra, esperando o sinal abrir, apresentando o programa de rádio, no banheiro, na academia, na reunião de trabalho... até assistindo aos jogos do Grêmio me deparei dedilhando os doces.

Joguei e jogo muito Candy Crush até hoje – parei de fazê-lo em situações de perigo, é verdade. Mas posso dizer orgulhosamente que jamais gastei um só tostão neste joguinho. Eu venci! Ou melhor, quem venceu foi minha pão-durice insuperável. Se me nego a jogar moedinha na Fontana di Trevi, imagine despejar dinheiro em um joguinho eletrônico.

padrões. A matemática é exata, totalmente previsível. Mas o ser humano não.

Você publica uma foto, um texto, um vídeo e aguarda não apenas os comentários e corações, mas os hits, as visualizações, os compartilhamentos, os seguidores, tudo medido, tudo numerado. A pessoa volta tantas vezes para ver se aumentou o número de visualizações em seu post que metade do valor total é dela mesmo. É como se fosse um jogo em que cada um vai acumulando pontos. Quem marcar mais pontos é o campeão. Lembrando sempre que esse "jogo" só existe na cabeça de cada um, já que o adversário com quem a pessoa se compara nem sabe que foi escolhido para a "competição". De qualquer forma, o processo de "gamificação" mental nos faz cair nos mesmos mecanismos de dependência.

E, sim, jogos como Candy Crush ou League of Legends são arquitetados para serem viciantes, pois se baseiam em sistemas de recompensa. Tudo o que a neurociência e a psicologia descobriram, tudo o que a bioquímica sabe, tudo o que estudiosos explicaram, o marketing usa, a indústria usa, a mídia usa. Tudo o que é produzido é feito para ser cada vez mais consumido. Todas as marcas querem adesão. Querem seu cadastro, seus dados, sua fidelidade. "Volte sempre", diz o saquinho de pão da padaria. Tudo o que é criado, desenvolvido para seu celular é feito para você ficar assim, sempre ligado, sempre on. Forever.

Não há dúvida, estamos todos viciados em nossos celulares, em maior ou menor grau. Em vez de entrar em seu mundo e voltar para a realidade, fizemos morada no celular e lá permanecemos, mesmo com a porta sempre aberta.

Como faz para sair?

**Paulo Coelho**
escritor

Meu celular está sempre no mute, a não ser que eu esteja esperando telefonema. E quem chega aqui em casa e atende qualquer celular, eu confisco e só devolvo na saída.

QUADRINHOS DOS ANOS 10
A BANANA DO SEU NETO
A LARANJA DA SUA ESPOSA
O AMIGO DO SEU FILHO

CAPÍTULO 5

# DESENVOLVENDO UMA RELAÇÃO MAIS SAUDÁVEL COM O CELULAR

# DETOX DIGITAL E A BUSCA POR UM NOVO EQUILÍBRIO

OK. DIGAMOS QUE estamos todos convencidos de que o celular nos escravizou, que damos mais atenção a ele do que a muitos membros da família, que a tendência é que essa dependência aumente cada vez mais e que precisamos fazer alguma coisa para não virarmos zumbis corcundas num episódio de *Black Mirror*. A pergunta é: como se faz detox digital? Tem que baixar e instalar um app de suco verde à base de couve? Meditar com aplicativo resolve tudo?

Calma. Respire fundo.

A expressão "detox digital" entrou para o Oxford Dictionaries On-line em 2013, no mesmo ano em que surgiu o termo FOMO, Fear Of Missing Out, ou medo de perder alguma coisa importante, o sentimento que nos leva a checar constantemente o celular.

A ideia do detox digital não é abandonar a tecnologia e ir morar no meio do mato numa choupana sem energia elétrica. A proposta é buscar um novo equilíbrio entre o tempo em que ficamos diante de uma tela iluminada num aparelho eletrônico e o tempo em que nos conectamos com pessoas, com o mundo, com nós mesmos. A desconexão, ou a diminuição do tempo de contato com o mundo on-line, pode ser uma oportunidade para desacelerar o cérebro e usar a energia e o tempo que investimos em interações com a tela para outras atividades que nos trazem prazer, felicidade e bem-estar.

Já existem muitos lugares no mundo onde é possível fazer retiros de detox digital durante dois ou três dias, numa espécie de acampamento off-line para adultos. Há hotéis que oferecem refúgios em lugares tranquilos, onde a natureza é um convite a deixar de lado o celular e a internet, eco-resorts que oferecem planos de meditação e yoga, centros de mindfulness que promovem o equilíbrio pessoal, ashrams e templos onde se pratica o silêncio. As opções são muitas e, segundo Levi Felix, cofundador da The Digital Detox, na Califórnia, "quando se desconecta, você aumenta a percepção de si mesmo e se transforma em quem realmente é".

Se você ainda não encontrou motivos para modular ou diminuir seu tempo de conexão, o site da Digital Detox traz alguns dados que podem despertar esse desejo ou, pelo menos, a consciência de alguns fatos. É chocante saber que, considerando-se o tempo em que fica acordado, o americano médio passa metade da vida olhando para uma tela. Não que as telas não sejam informativas, educativas, interativas, divertidas e ampliem nossos horizontes, mas metade da vida olhando para uma tela luminosa?

A Digital Detox também publica um manifesto que propõe "Desconectar para Reconectar", enaltecendo a incrível capacidade do ser humano de compartilhar infinitas experiências e afirmando acreditar numa vida de liberdade, equilíbrio e alegria em um mundo onde todas as pessoas tenham a oportunidade de se sentirem vivas, plenas, completas e profundamente conectadas à maravilha que é a vida. A tecnologia, diz o manifesto, deve servir como ferramenta que nos conecta na celebração da vida, melhorando nossa existência, em vez de apenas nos distrair, atrapalhar ou interromper.

A ideia de ir para um lugar específico e viver dias de conexão com outras pessoas é bastante interessante e eficiente. Mas existem outros caminhos menos dispendiosos que podemos buscar individualmente. De certa forma, muitas pessoas já encontram essas soluções para aplacar a compulsão de mexer no celular em todos os momentos da vida. Uma delas aconteceu de forma quase intuitiva, mais ou menos como acontece com os cachorros que comem grama quando estão com problemas de digestão. Pessoas de todo o planeta começaram a buscar a mesma forma de alívio para essa hiperconexão numa atividade lúdica e analógica, familiar, quase infantil.

Se seu cérebro já está tentando antecipar que "solução lúdica" foi essa, colocando palavras em sua mente, se sua "máquina de predições" já entrou em ação, diga a ele que, sim, ele acertou. Porque vamos falar de um exemplo de atividade antiestresse que brotou do nada e virou uma mania mundial, cujo ápice no Brasil aconteceu em 2015, mas começou um pouco antes.

## FOCO, FORÇA E FÉ

EM 2013, JOHANNA Basford, uma ilustradora escocesa que diz preferir lápis e caneta a pixels, lançou um livro de colorir para adultos chamado *Jardim secreto*. Nem ela nem ninguém sabia, mas ali começava a se levantar uma onda que viraria um tsunami avassalador em todo o mundo, que resultaria na venda de 20 milhões de exemplares, 3 milhões só no Brasil. E, lembre--se, estamos falando de um *livro*. A onda impulsionou todo o mercado editorial (sem contar todos os lápis de cor que foram adquiridos para preencher os contornos) e surgiram incontáveis autores e livros de colorir. Em dado momento, em importantes listas de mais vendidos, nove dos dez livros mais populares eram de colorir. Hoje, a onda já estourou, mas é importante tentar entender o que aconteceu.

Colorir relaxa, distensiona, entretém. Enquanto a pessoa está colorindo, a mente se aquieta, a atenção fica focada. Foco é uma das palavras mais repetidas em palestras de autoajuda, livros de empreendedorismo e textos corporativos. Foco também é mantra de quem faz fisiculturismo ou é adepto da maromba. "Foco, força e fé" são hashtags comuns no Instagram de musas fitness. Por mais banalizado que o termo tenha se tornado, manter o foco não tem nada de banal. É um aprendizado contínuo e requer paciência e treino.

Focar na página que se está colorindo não é difícil. Ao contrário, acontece naturalmente e traz uma dimensão muito grande de prazer, que vem de várias fontes, como o poder de transformar espaços em branco em figuras coloridas, a sensação de expressar nosso lado artístico e, sobretudo, o maravilhoso sentimento de terminar uma obra. Vivemos num mundo onde começamos muita coisa, mas não terminamos quase nenhuma, e colorir uma página tem começo, meio e fim, tudo em pouco tempo. A sensação de completar uma figura nos enche de alegria, e é uma atividade que não requer prática nem (muita) habilidade, qualquer um pode fazer.

Colorir também tem outras vantagens além do efeito antiestresse: pode ser feito individual ou coletivamente e ocupa os olhos e as mãos com algo que não tem tela iluminada, nem botões, nem está conectado à internet.

E aí está uma das explicações para tamanho sucesso. O mundo adulto nunca tinha parado para colorir antes porque esse mesmo mundo nunca esteve estressado coletivamente, pelo mesmo agente, o smartphone. A reação planetária em busca de alívio aconteceu como um meme contagiante. Não foi um vídeo, um gif animado que viralizou, foi a ideia de ficar desconectado, voltando a uma prática que todos nós já havíamos feito na infância.

Como toda onda, os livros de colorir não foram uma unanimidade. Muita gente reclamou, concluiu que o mundo adulto estava se infantilizando, que os livros de colorir estavam substituindo os livros de leitura, que era o triunfo do "quer que eu desenhe para você entender" sobre o "vamos usar a cabeça para aprender mais".

É possível que esse embate tenha acontecido porque os livros de colorir eram vendidos em livrarias e bancas, competindo com os livros "de ler", quando talvez, considerando seus benefícios para a saúde física e mental, deveriam ser vendidos em farmácias.

## O FLUXO

Colorir é uma das muitas atividades que podem nos levar ao estado que tanto buscamos, o que pode nos curar do vício e da obsessão em ver notificações, novidades, fotos, mensagens: o fluxo.

O estado de fluxo tem muitas descrições, mas há uma mais comum e fácil de reconhecer: fluxo é um estado de concentração e prazer sem esforço. É quando você está fazendo algo de que gosta e percebe que o seu fazer acontece quase espontaneamente, quando tudo se encaixa e não há conflitos ou contradições. Quando você pratica um esporte, seja corrida, natação, ski, skate, é comum entrar nesse estado de fluxo, em geral chamado de entrar *in the zone*. Nesse momento, tudo se integra. No caso da corrida, por exemplo, você, o chão, o ar, tudo parece ser a mesma coisa, tudo vai na direção da chegada, você já não sente mais o esforço de mover as pernas, apenas corre em frente até chegar.

Músicos, artistas plásticos, poetas e cientistas chegam a esse estado de êxtase, que pode ser atingido também jogando videogames, xadrez, tecendo um tapete, resolvendo uma equação, criando um algoritmo. Em geral esse estado é mais facilmente alcançado quando praticamos uma atividade que dominamos, conhecemos e amamos. Ficamos tão envolvidos que nem sentimos o tempo passar.

No estado de fluxo o ego não existe mais, estamos totalmente integrados. Para o psicólogo húngaro Mihály Csíkszentmihály (pronuncia-se Mihály Six-Cent-Mihály), criador do conceito, esse estado de imersão e concentração numa atividade é o que traz a verdadeira felicidade. O fluxo não é um estado permanente, é um momento que você atinge e passa – e essa é a sua beleza. Na linguagem da internet (que muda o tempo todo), poderíamos dizer que é quando você se sente "plenissima".

Repare que esse bem-estar que vem de conquistar algo, cumprir uma meta, praticar uma atividade que traz prazer, é quase o oposto do sentimento que temos depois de muitas horas de distração infértil na telinha, principalmente quando esse tempo nos traz mais ansiedade do que relaxamento. Passamos por isso diariamente, todos nós, seguindo cliques que nos levam a mais e mais links, dando likes em fotos num sem-fim de aprovações automáticas, respondendo mensagens com emojis repetidos como se estivéssemos carimbando eletronicamente nossa presença. Quando percebemos, passamos um tempo imenso fazendo nada, tempo que poderíamos ter usado para qualquer outro benefício pessoal, como passear, ler, escovar os dentes com atenção ou entrar no estado de fluxo.

E a pergunta de um milhão de likes é: "O que podemos fazer para ter um detox, focar e entrar no fluxo, além de colorir?" Muita coisa. Basicamente qualquer atividade que use as mãos, tenha um propósito e traga prazer.

**Rodrigo Rodrigues**
jornalista, apresentador, escritor

Em 2016 lancei um guia para conhecer Paris utilizando o metrô, o *Paris Paris*. O livro é todo ilustrado com fotos de celular, tiradas em diferentes idas à cidade luz, justamente para ficar com aquele jeitão de diário de viagem.

Minha primeira vez na capital francesa foi em 2012, e eu era semivirgem de iPhone, tinha comprado o aparelho poucos meses antes da viagem. No dia de visitar a Torre Eiffel fazia um frio de rachar, talvez por isso a fila estivesse menor do que o normal. Comprei o ingresso e subi relativamente rápido.

No elevador, o susto: 10% de bateria! E agora, como vou fazer as fotos? Ainda não havia sido apresentado ao maravilhoso mundo dos carregadores externos e das supercapas com bateria extra. Por sorte o carregador estava na mochila, era só achar uma tomada. Mas quem disse que no alto da torre tem tomada? E agora, Gustave Eiffel? Desci do elevador com 7% marcando na tela e... o celular descarregou! Como assim pulou de 7% pra 0%? Mas que sacanagem! *Désolé*! *Merde*!

A minha tão esperada visita se resumiu a uma caça ao ponto de energia. Entrei numa loja de lembrancinhas de turista do andar intermediário e implorei de joelhos à gerente por uns minutos de carga, o suficiente para tirar ao menos uma foto lá do alto. Ela cedeu, com a condição de que eu comprasse alguma coisa e ficasse de pé ao lado da tomada fazendo guarda. Meia hora se passou, arranquei o bicho da parede com 20% e saí clicando tudo antes que a luz e a bateria acabassem de vez. Em menos de 15 minutos fiquei sem luz, sem bateria e sem saco.

Peguei o elevador de volta, desci e fui direto comprar uma daquelas capas que vêm com 60% de carga. Não fiquei mais sem bateria na viagem, mas pensei no metrô rumo à estação République: como a gente depende desse troço, né?

# IDEIAS PARA UM DETOX

## Cozinhar

Cozinhar é um exemplo perfeito de atividade que ocupa mãos, mente, alma e ainda pode usar celulares e tablets como ferramenta. (Senti um ímpeto louco de avisar que "ferramenta" aqui é no sentido de fonte de pesquisa de produtos e receitas, não como já vimos em vídeos do YouTube em que pessoas usam tablets como tábua de picar cebola.)

Preparar um prato tem todos os ingredientes necessários para um período off-line de muita alegria para o cérebro e o espírito. Tem um propósito, que é concluir o prato. Tem um arco dramático com começo, meio e fim. Tem o prazer de manipular e transformar o alimento, um processo de alquimia que parece magia. Tem a criatividade, o toque pessoal, mesmo seguindo a receita à risca. Tem a expectativa e a administração da ansiedade, tem a ludicidade dos potes e panelas e utensílios. E tem o resultado, pronto para dar prazer aos sentidos que não usamos na internet, como o olfato, o tato e o paladar.

## Correr, nadar, treinar e meditar

Todo mundo que tentou parar de comer chocolate ou doces em geral sabe que não comprá-los e não mantê-los em casa é a maneira mais fácil de diminuir a tentação de comê-los. Não estar com o celular ao alcance da mão ou em ambientes e atividades que não permitem seu manuseio é uma forma de facilitar a decisão de fazer um detox e não consultar a tela do telefone a todo instante. Convenhamos, não dá para atender a cada notificação nadando na piscina, levantando halteres ou durante um bom treino de corrida.

A vantagem de ações contínuas e repetidas, como a corrida e a natação, é que depois de um certo tempo, que varia de pessoa pra pessoa, entramos automaticamente no estado de fluxo sobre o qual falamos.

E, claro, além das atividades físicas que movimentam o corpo e acalmam a cabeça, a meditação é sempre um poderoso aliado. Acalma e disciplina a mente, diminui a ansiedade, melhora a respiração e o funcionamento do organismo como um todo.

## Tricotar, tecer, fazer crochê

Trabalhos manuais que envolvem fios como lãs e linhas e produzem tecidos são ótimos como detox digital. Exigem foco, atenção e, por serem repetitivos, levam o praticante direto para o estado de fluxo. Como sou tricoteira desde criança, uso esse método para limpar a mente. O movimento dos pontos, o manusear das agulhas, a concentração no fio e no que se está tecendo me levam para uma dimensão de leveza e prazer que pode durar horas.

Como tricô e crochê exigem conhecimento prévio, uma boa opção são os pequenos teares para fazer quadrados de lã, que podem ser unidos e formar uma colcha ou qualquer outra peça. Tutoriais do YouTube ensinam a fazer esses quadrados em teares de prego sem grande dificuldade. Esse tipo de atividade, felizmente, deixou de ser "coisa de mulher" e passou a ser praticado largamente por qualquer pessoa, independentemente de gênero. Vale a pena experimentar.

## Ler

Todo mundo sabe como é viajar num bom livro. A gente embarca na história e vai embora com o texto. E aqui sinto-me na obrigação de dividir a epifania que tive um dia, como escritora e tricoteira: tecer e escrever são a mesma coisa. Texto vem do latim *texere*, tecer, cujo particípio passado *textus* também era usado como substantivo e significava "maneira de tecer" ou "coisa tecida". Ou seja, *texto* e *têxtil* são palavras próximas, o que liga a tecelagem ao ato de escrever. Repare como há termos comuns usados por roteiristas e escritores que nos levam ao tear: linha, ponto, trama, perder o fio da meada, tecer considerações... são todos emprestados da tecelagem. Sem contar que, quando seus olhos percorrem as linhas do texto da esquerda para a direita e de volta ao começo da linha seguinte, estamos fazendo o mesmo movimento que faz um fio quando desmanchamos um trabalho de tricô.

Ler com atenção e foco nos leva sem escalas para o estado de fluxo e ainda articula uma dimensão a mais, a da imaginação, bem mais preciosa e importante do que a própria inteligência, só para parodiar o genial Albert Einstein.

Em outras palavras, existem muitos exemplos de como ocupar mente e corpo para não se agarrar à tábua de salvação da telinha, é só você tentar diferentes modalidades até encontrar aquela que dá mais prazer e, assim, pode ser transformada num hábito. O importante é encontrar a saída do labirinto das distrações do celular e reencontrar o caminho do equilíbrio.

**Raony Phillips**
criador da série *Girls in the House* e dono do canal RaoTV no YouTube

Eu estava fazendo um trabalho de faculdade, no finalzinho de 2015, com uma colega de classe. A menina estava me irritando demais, dando pitacos desnecessários sobre o trabalho, sendo que ela não tinha feito nada. Ela tinha dito algo de que não me lembro, mas que particularmente achei muito escroto.

Printei para mandar para outra colega de faculdade e encaminhei a foto. Mas, quando vi, tinha encaminhado o print pra ela mesma e com a legenda "olha que escrota".

Ela, no início, não entendeu e depois mandou: "Hã? Quem, eu?"

Gelei.

A vontade era de enfiar a cara num buraco.

Mas, como sou muito bom de improviso, abri o print, analisei e respondi: "Não, fofa! Olha a porcentagem da minha bateria! (estava em 11%) Lembra que eu falei que tá descarregando muito rápido?"

Ela ficou uns dois minutos on-line sem me responder.

Depois mandou um áudio rindo e dizendo: "Pensei que tava falando de mim!"

Espero que ela não leia isso.

QUADRINHOS DOS ANOS 10

CAPÍTULO 6

# MUDANÇA DE HÁBITOS

## FALAR É FÁCIL

O MERCADO MUNDIAL DE manutenção e perda de peso é estimado em 176 bilhões de dólares. Um relatório recente prevê que este valor deverá chegar a 245 bilhões de dólares até 2022.[46] É muito dinheiro. É mais que o PIB da Nova Zelândia.

O tamanho do mercado tem uma explicação: mais de 2,2 bilhões de pessoas no mundo estão acima do peso.[47] E, no entanto, todo mundo "sabe o segredo" para emagrecer: gastar mais calorias do que ingere. Criar um déficit calórico, "entrar no vermelho", mais ou menos como a gente faz com o limite do banco, só que com a comida. Certo? Não.

Definitivamente, não. Não é apenas uma questão calórica ou matemática. Claro que é recomendável comer bem e exercitar-se regularmente. Mas o ser humano não é apenas uma equação matemática, e sim um sistema bioquímico complexo que envolve corpo e mente.

É muito fácil dizer "Ah, é só controlar a vontade de comer porcaria, fechar a boca, que você emagrece". Mas isso não funciona e não procede. Primeiro porque o mundo à nossa volta foi construído para nos fazer comer mais e mais calorias. Vá a qualquer padaria, caixa de supermercado e repare que, na saída, antes de pagar, você tem uma pessoa rodeada de todos os tipos de guloseimas calóricas, uma espécie de último lembrete de "Ei, que tal mais algumas saborosas calorias inúteis?". Segundo, porque o ser humano não é uma máquina que obedece a comandos do tipo "Não coma doce", como se fosse uma ordem a ser seguida. Especialmente considerando-se que quem controla tudo é seu cérebro e todos os seus neurônios se alimentam de glucose, ou seja, açúcar.

Não é uma simples questão de força de vontade. A coisa é muito mais complicada. Isso sem falar da compulsão alimentar e todos os outros problemas mentais, emocionais, sociais e outros que tais. Uma vida realmente saudável exige uma estrutura de vida equilibrada. Qualquer fator desestabilizante – demissão, ruptura amorosa, decepção, doença – pode comprometer sua alimentação regrada.

A regularidade de exercícios também não é fácil. Não é simples acordar às cinco horas da manhã para fazer exercícios antes de começar o dia de trabalho, mesmo que você use o despertador do seu celular com o som no máximo. Existem fatores como chuva, frio, preguiça, compromissos, família, dificuldades de transporte, falta de dinheiro, que contribuem para que qualquer pessoa prefira dormir mais uma hora antes de começar um dia difícil. Fácil acordar cedo quando se é rico e seu personal trainer vem buscar você para a aula de spinning, antes de começar um dia de poucos compromissos. Difícil para quem já acorda cedo e precisa pegar transporte público para ir trabalhar, estuda à noite e chega tarde em casa.

Em resumo, não é verdade que "querer é poder" e que basta "acreditar nos seus sonhos" que tudo vai sair do jeito que você deseja.

Mas o que tudo isso tem a ver com o celular?

O que liga comida, ansiedade e funcionamento do corpo e da mente com o celular é que em todo sistema sempre existem brechas, fendas, backdoors, vulnerabilidades. É justamente aí que trabalham os hackers, marqueteiros, designers de jogos, de apps e tantos outros profissionais. E é por essas brechas e vulnerabilidades que entram todos os tipos de vírus, sejam eles biológicos ou digitais.

## VULNERABILIDADES > DESEJOS > COMPRAS

Estamos presos e condicionados a sites, redes e aparelhos exatamente porque existe gente muito competente em explorar nossas vulnerabilidades – seja na área da moda, na política ou na propaganda. Sim, há toda uma ciência voltada para compreender as fraquezas humanas e gerar o máximo de lucro a partir delas.

Isso foi, basicamente, o que disse Sean Parker, fundador do Napster e o primeiro presidente do Facebook. No final de 2017, Parker deu uma dura declaração num evento público dizendo que "o Facebook explora vulnerabilidades na psicologia humana".[48] Ele afirmou também que a linha de raciocínio por trás da construção desse gigante das redes sociais foi: como podemos consumir o máximo possível do seu tempo e da sua atenção?

E por que sua atenção é a commodity mais valiosa do mundo, o bem mais disputado por todas as marcas, em todas as plataformas? Porque ela é o elemento fundamental para o consumo, para a venda de serviços e produtos, para a construção de imagem e reputação de marcas e pessoas, para girar toda a economia mundial. Sem a sua atenção, não há interação entre seus sentidos (e seu cérebro) e o produto, sem interação não há desejo, e sem desejo não há compra.

Toda compra é baseada em desejo, seja esse desejo uma necessidade primordial, como alimentar-se ou sentir-se melhor, seja ele a coisa mais supérflua do mundo, não importa. Não se trata aqui de julgar os desejos, apenas de mostrar que eles são os intermediários que conduzem você ao consumo.

A função da publicidade, do marketing e de toda comunicação de venda é criar em você o desejo de comprar alguma coisa, sem parecer que estão vendendo essa coisa para você. Repare que o nome dos grandes prédios cheios de lojas vendendo coisas não é Selling Center, é Shopping Center. É um centro de compras feito para você visitar, dirigir sua atenção às vitrines, sentir desejo de ter alguma coisa, entrar em contato com o vendedor, que vai fortalecer e incentivar seu desejo até que a compra se realize. Se possível, com um pouco de "empurroterapia", o profissional ainda vende mais alguma coisa para você.

Sua atenção, que significa a soma entre o seu olhar e todo o seu aparato cognitivo, é o que as marcas precisam, tanto no mundo físico quanto no mundo on-line.

Numa visão simplificada, a publicidade sempre comprou espaço ou tempo para anunciar nas plataformas e meios onde colocamos o foco de nossa atenção. Em jornais, revistas e toda mídia impressa, os anúncios buscam nosso olhar, ocupando espaço ao lado das notícias que queremos ler. Nos meios eletrônicos, como rádio e TV, anunciantes compram tempo de exposição de seus produtos e serviços pelo sistema de interrupção. Ninguém liga o rádio ou a TV para ver e ouvir mensagens publicitárias, nós as vemos e ouvimos porque elas interrompem o conteúdo que fomos buscar. O cinema não interrompe o filme pelo qual pagamos para ver, mas todos sabemos o tanto de mensagens publicitárias a que temos de assistir até que o filme finalmente comece.

Da mesma forma, toda a propaganda em outras mídias, como outdoors, empenas, faixas, pôsteres, balões, tetos de trens, revistas de bordo ou portas de banheiro, é sempre disponibilizada nos locais onde seu olhar pode recair, o máximo de tempo possível, se possível o tempo todo. Como me disse certa vez um antigo profissional de marketing, Al Ries, se as marcas pudessem, implantariam mensagens dentro do seu cérebro. Enquanto isso não acontece, elas dependem de capturar a atenção dos seus olhos. Porque o que os olhos veem, o coração pode desejar – e o cérebro pode decidir comprar.

## O PRODUTO É VOCÊ

Essa lógica de comprar espaço no foco de sua atenção continuou a funcionar com o surgimento da internet, quando os sites eram apenas páginas estáticas on-line. A tecnologia, no entanto, permitiu outros mecanismos mais chamativos e irritantes, como os famigerados pop-ups, que viraram pop-unders, os gifs animados, as letras coloridas piscantes, os spams. Se você já jogou algum joguinho "gratuito" no celular, sabe que eles chegam infestados de ofertas de outros produtos. Isso sem contar as janelas que escondem o "x" para tornar mais difícil que você as feche. Puro desespero para chamar sua atenção na marra, mesmo gerando ódio no seu coraçãozinho.

Esse paradigma de compra de espaço e tempo mudou quando surgiu o Facebook, essa potência bestial que hoje está entre as cinco maiores empresas do planeta. Em junho de 2017, Mark Zuckerberg anunciou que o Facebook havia atingido a chocante marca de 2 bilhões de usuários ativos, o que quer dizer que 2 bilhões de pessoas diferentes usaram o serviço no mês anterior. E mais: 66% dessas pessoas usam todos os dias.

É uma máquina gigante de fazer dinheiro, que subverte toda a lógica anterior. Se num jornal ou TV os profissionais são pagos para produzir conteúdo para os usuários, para que os anunciantes exponham suas mensagens no mesmo ambiente, no Facebook os produtores de conteúdo são os usuários, que trabalham de graça em troca do uso da ferramenta, produzindo infinitas informações sobre si mesmos, dados esses que são então vendidos para anunciantes, que assim podem ter alvos precisos e perfeitos para suas mensagens. No Facebook, os anunciantes não compram "espaço", compram a atenção de pessoas.

Digamos que eu seja dona de uma pequena confecção de roupas esportivas femininas para corrida de rua na cidade de Belo Horizonte e queira vender meus produtos tanto na minha loja física quanto na loja on-line, mas só para a minha região. O que eu faço? Entro em contato com o Facebook e digo que quero anunciar meus produtos para, digamos, mil mulheres, na faixa etária de 20 a 70 anos, que morem dentro de uma área de 10 quilômetros da minha loja, que pratiquem corrida de rua ou já tenham ido a pelo menos uma corrida, ou que nunca correram, mas seguem pessoas que correm e que, potencialmente, possam vir a correr um dia. Enfim, eu posso fazer o recorte que quiser e o Facebook tem como encontrar essas pessoas para mim.

E se eu quiser fazer uma linha de roupas só com estampa de signos do zodíaco, posso pedir que dentro desse grupo de mulheres-alvo, de 20 a 70 anos, eu tenha um subgrupo de pessoas que gostam de astrologia. Dependendo da minha campanha e da minha verba, o Facebook anuncia minhas roupas nos perfis dessas mulheres exatas que eu escolhi.

Isso é possível por esta lógica invertida, segundo a qual estamos o tempo todo produzindo dados e informações sobre nós mesmos, facilitando o trabalho de quem quer comprar nossa atenção. Cada foto de viagem, de hobby, cada post sobre seus sonhos, desejos, atividades e hábitos é mais um agente facilitador para vender você para anunciantes. Considerando-se que o Facebook também é dono do Instagram, pode ter certeza de que essas empresas conhecem mais sua vida, seu comportamento, seus desejos e até seus pensamentos do que seus melhores amigos e familiares.

Todo mundo já percebeu na prática como isso acontece no outro gigante da internet, o Google. Você pesquisa, só por curiosidade, o preço de uma passagem aérea para Aruba, e em segundos todas as suas páginas serão inundadas por ofertas do Caribe.

O Facebook ganhou ainda mais dinheiro quando, em 2012, o tráfego de internet começou a se deslocar dos computadores para os celulares. No começo, a receita caiu, porque clicamos muito menos em anúncios em dispositivos móveis do que no desktop. Mas a empresa resolveu essa questão com um sistema chamado *onboarding*, que une informações de usuários tanto do mundo on-line quanto off-line, através de parcerias com empresas que monitoram todo o comportamento de consumo dos cidadãos. Aí é só juntar todas as informações da internet (muitas delas adquiridas através de cookies que os sites deixam em seus dispositivos) e linkar sua identidade no Facebook com a identidade do seu celular. Agora, tudo o que você clica, vê, pesquisa, compra, visita, responde ou publica pode ser rastreado e atrelado ao seu perfil. Fica muito fácil para o anunciante encontrar você como alvo. É como se um pescador quisesse encontrar um determinado peixe e o Facebook desse para ele as coordenadas precisas de onde o peixe está e ainda acendesse uma luz dentro do peixe para o anunciante jogar o anzol em cima dele, com uma apetitosa isca para fisgá-lo.

Dá para entender por que o Facebook é a rede social mais usada no mundo para fins de marketing e recebe uma gorda fatia dos investimentos de publicidade mundial nesse segmento, que não para de crescer. Só para dar uma ideia, em 2016, dos 493 bilhões de dólares investidos em publicidade no mundo, 178 bilhões de dólares foram para a publicidade on-line.[49]

Não resta a menor dúvida de que, nesse mercado das redes sociais, o produto é você. Dá para entender também por que redes sociais como Facebook fazem de tudo para explorar as fraquezas humanas para estender ao máximo o uso de seu serviço, como seus próprios ex-funcionários hoje nos contam.

Numa entrevista para Mike Allen, da Axio's, Sean Parker declarou: "Isso quer dizer que tínhamos que dar uma pequena dose de dopamina cada vez que alguém curtia ou comentava numa foto ou post ou qualquer coisa que publicasse (...) é um feedback em 'loop' de validação social (...) É a exploração de uma vulnerabilidade na psicologia humana (...) [os criadores do Facebook] sabiam disso, de forma consciente, e fizemos mesmo assim."[50]

Outro ex-vice-presidente do Facebook, Chamath Palihapitiya, que entrou em 2007 para a empresa, disse para uma plateia da Stanford's Graduate School of Business, dez anos mais tarde, que o Facebook está esgarçando o tecido social do funcionamento da sociedade: "O loop de feedback de curto prazo baseado em dopamina que criamos está destruindo o funcionamento da sociedade. Não há discurso civil. Não há cooperação. Só desinformação. Inverdades." E acrescentou: "Só Deus sabe o que está fazendo com os cérebros das crianças."[51] Vale lembrar aqui a decisão do governo francês de banir o uso de telefones celulares nas escolas.[52]

Esse processo de recompensa imediata e infinita, essa injeção contínua de pequenas doses de dopamina a cada curtida, cada elogio, cada comentário, cada reação, cada seguidor alcançado, cada hit e view e clique é o que torna praticamente impossível abandonar o vício do celular.

Para sair desse círculo vicioso é preciso mais do que uma explicação, é preciso consciência, determinação, ajuda e motivação. E planejamento. Mas é possível. Tão possível como parar de fumar, de beber ou de usar drogas pesadas. E tão difícil quanto. Até porque as redes sociais e os aplicativos foram projetados usando todo o conhecimento do comportamento humano, algoritmos e técnicas de persuasão para serem viciantes. Assim como os cassinos, na comparação feita pelo megainvestidor George Soros num jantar em Davos, no Fórum Econômico de 2018. O CEO da Salesforce, Marc Benioff, foi mais além e comparou o Facebook ao cigarro, dizendo que a rede social deveria ser regulamentada como um produto a base de tabaco.[53] Não é à toa que todos nós chegamos a uma relação tóxica com um aparelho tão essencial e genial como o celular.

Exatamente por isso, o princípio para diminuir o contato físico permanente com esse objeto maravilhoso-porém-escravizante, o telefone celular, é o mesmo usado nos programas de combate à adição.

## PASSO A PASSO DO DESMAME

VAMOS TENTAR ENCARAR esse processo como um "desmame", imaginando que o celular é hoje esse "seio" gigante, fonte freudiana de alimento e prazer infinito. E, sim, mamilos são polêmicos. Para fazer o desmame é preciso substituir um prazer por outro, porque abrir mão do prazer de forma súbita leva sempre ao fracasso imediato. Mas alguma coisa tem de ser feita. Pois, como diz o movimento Time Well Spent (Tem-

**Camila Pitanga**
atriz, diretora-geral do Movimento Humanos Direitos e embaixadora nacional da ONU Mulheres

Minha relação com o smartphone é de amor e ódio. Amor porque eu resolvo minha vida com ele, me conecto, falo com pessoas, me organizo. Mas, ao mesmo tempo, essa dimensão do vício, da dependência, é complicada.

Obviamente já perdi meu celular e fiquei desesperada várias vezes, sentindo o buraco dele... Imagina ficar esperando horas para gravar uma cena, uma participação, sem um celular. kkkk
Além de poder levar a galera para o ambiente em que estou, me conecto com o delas e o tempo voa. É uma companhia de milhares de pessoas a qualquer momento. Me faz muito bem!

Atualmente estou descobrindo um caminho interessante que são os momentos em que largo o celular, abandono mesmo, para poder me concentrar nas outras coisas.

Tenho algumas regras básicas: se estou numa reunião, numa mesa ou num almoço, não dá para ter telefone. Tem que concentrar no contato. Outra coisa é que, de vez em quando, estou trocando repetidamente mensagens de voz com alguém, aí dá aquele estalo, ligo para a pessoa e digo: "Peraí, vamos conversar direito!"

Hoje estou buscando esse equilíbrio para que o celular seja cada vez mais meu amigo e não meu inimigo.

Tem funcionado.

po bem gasto), a tecnologia está sequestrando nossas mentes e nossa sociedade.[54]

Uma opção saudável é convidar alguém para fazer o "desmame" com você. Ter alguém com quem compartilhar e discutir a experiência é muito mais divertido do que passar por isso sozinho. De qualquer forma, com ou sem alguém, a ideia não é sofrer por ficar sem seu celular ou punir-se por não resistir a ele, mas viver o experimento de ser, ao mesmo tempo, objeto e observador de seu comportamento.

## Desligue as notificações de não humanos

A maioria das notificações que recebemos é automática, gerada por máquinas, não é de pessoas reais com quem você se relaciona. Desligue todas elas, exceto as de pessoas próximas que realmente importam. E, em um próximo estágio, desligue até essas também. A questão aqui não é deixar de receber as notificações, e sim não ter de respondê-las no instante em que acontecem. Tudo pode ser adiado em algumas horas. Você não precisa saber ou responder tudo na mesma fração de segundo. Relaxa, cara.

## Faça faxina nos seus aplicativos

Olhe para cada aplicativo no seu celular e pergunte a si mesmo: eu uso isso? Qual foi a última vez que abri? Ele me faz feliz? Me ajuda? Eu me sinto bem depois de usá-lo? Se as respostas forem negativas, delete. Se algum dia precisar, baixe de novo, ele fica na nuvem. O mundo não vai acabar, os apps não vão sumir, prometo.

Aliás, você pode usar apps que monitorem seu uso de outros apps. Parece incoerente, mas não é. E é extremamente eficaz. Eu mesma fiz o teste. Baixei um aplicativo para iOS chamado Moment, que monitora o tempo que uso o celular e em quais aplicativos passo meu tempo. Há aplicativos para Android que também fazem isso, como o Quality Time. Pois só de saber que eu mesma liguei um aplicativo que monitora o tempo de uso do celular eu já o usei menos vezes. A simples consciência de que o tempo que eu ficasse jogando ficaria registrado já me fez desistir de jogar.

Impressionante o efeito psicológico sobre nossas atitudes quando sabemos que tem alguém nos vigiando.

## Fique fora da área

Se seu celular estiver fora da área de alcance das antenas da sua operadora, ele não "pega" a rede. Use o mesmo artifício e deixe seu celular fora do alcance imediato das suas mãos. Numa gaveta. Dentro de uma bolsa. Dentro de uma casinha que você inventar para ele. Coloque-o temporariamente numa prateleira alta que necessite de uma cadeira ou escada para pegá-lo. Sim, a ideia é dificultar fisicamente o acesso e contar com a preguiça a seu favor. É como esconder dinheiro no pote de biscoito, como nos filmes americanos, ou mocozear o chocolate e a bebida em lugares improváveis. Longe dos olhos, longe do coração, longe das mãos.

Tente fazer isso por dez minutos. Trinta. Crie o "desafio da hora cheia": uma hora inteira sem contato com o celular. O que fazer durante uma hora inteira? Desafie seu cérebro. (Tente pensar no alfabeto ao contrário, de Z a A. É realmente muito difícil, porque seu cérebro guarda de A a Z desde que você se alfabetizou, associando as posições relativas das letras, o que vem depois da outra, e inverter essa ordem é subverter o sistema de acesso na sua memória.)

Com o passar dos dias, aumente os intervalos. Encare tudo isso como uma busca pelo reequilíbrio. O desafio master é chegar ao nível "um dia sem celular".

Enquanto você não chega lá, pode treinar por alguns momentos, especialmente na hora de dirigir. Deixe uma mensagem nas suas redes sociais e no WhatsApp dizendo que você estará dirigindo nos próximos minutos, e não estará disponível. Veja o horário exato no relógio do painel. Em seguida, se já souber o caminho e não for usar nenhum aplicativo de rotas e mapas, deixe o celular fora do seu alcance, por exemplo no banco de trás ou no porta-luvas. Ou habilite seu celular para enviar respostas automáticas avisando que você está indisponível.[55]

Ligue o rádio, cante com ele e, quando chegar ao seu destino, pegue o celular novamente. Mesmo que tenha sido por pouco tempo, parabéns pela conquista.

## Não vá pra cama com ele

Nós do CCQND, o Clube do Celular Que Nunca Desliga, sabemos que toda bateria tem um ciclo de vida. Depois de um número finito de ciclos de carga, a bateria morre. Carrega, mas não "segura" a carga, como diz o vulgo. Quanto mais tempo o celular fica ligado, ainda que em stand-by, mais bateria ele consome. Deixar o bichinho ligado ao lado da sua cama durante todo o seu sono é ruim para você e para ele.

Sim, todo mundo que tem horário para acordar usa o despertador do telefone, mas um relógio físico, *vintage*, analógico, do tipo que dá corda e nem tem bateria nenhuma, pode ser chique e divertido. E, no melhor sistema de "notícias e compras relacionadas", quem curte nostalgia nas redes relembrando ícones da infância certamente vai gostar de reviver o tique-taque.

## Use um chiclete de mão

O prazer advindo da dopamina pelas pequenas graças alcançadas pode ser substituído por qualquer outra atividade prazerosa, como mencionamos no capítulo anterior. Essa atividade precisa estar disponível para que você a exerça sempre que sentir o ímpeto de procurar o celular sem motivo a não ser receber seu *fix*, sua dose.

Uma opção é ter, além das atividades mais longas, algo como um japamala, um passador de contas, um brinquedinho qualquer (serve até um brinquedo giratório, um *fidget spinner*, que deve estar custando 1 real por container agora que a modinha passou). Alguma coisa física e manuseável para ter na bolsa e que não frustre o ser humano como um minicubo mágico. Resumindo, um chiclete de mão.

Uma amiga minha, a Nana, disse que leu em algum lugar que, na tentativa de diminuir essa loucura de consultar o celular de minuto em minuto sem motivo, uma pessoa colocou como tela de bloqueio uma imagem com a pergunta "Tem certeza?". Não sei o resultado disso, mas deve ser tão eficiente quanto aquele método para quem quer manter a dieta, de colar uma selfie com sobrepeso na porta da geladeira para os momentos em que pretendemos assaltá-la.

## Estabeleça pequenos rituais e desafios

Combine com sua família algo divertido, um desafio, como fazer uma refeição inteira sem celular. Escolha uma caixa, um cestinho, um cofre e convide todo mundo a colocar o celular lá dentro, até o final da refeição. Parece bobagem, mas é um bom exercício e pode gerar um jogo interessante como desdobramento.

Outra sugestão é convidar alguém para um jantar sem celular. Se a pessoa aceitar, vocês já terão assunto para a noite inteira. É um teste de autocontrole, como aquela famosa experiência das crianças e marshmallows, conhece? Trata-se de um famoso teste psicológico feito nos anos 1960 e 1970 na Universidade de Stanford por Walter Mischel, para medir a resposta à gratificação adiada em relação à gratificação imediata.[56] No teste, várias crianças pequenas recebem um marshmallow num pratinho e são avisadas por uma instrutora que, se conseguirem esperar alguns minutos sem comer o doce, ganharão mais um e poderão comer os dois. Ou seja: para ter a recompensa em dobro, é preciso resistir bravamente à tentação de atacar imediatamente.

Há alguns anos fizeram uma nova versão do teste e registraram. O vídeo é muito fofo e mostra as reações deliciosas dos pequenos, gravadas por uma câmera atrás de um vidro espelhado bem diante da mesa com a criança, o prato e o marshmallow.[57] Sofremos e rimos com esses pequenos porque sabemos a dificuldade que é resistir ao impulso e à tentação.

Pois podemos simular o mesmo teste de força de vontade colocando um celular diante de cada pessoa numa mesa para ver quem cai em tentação primeiro para pegar o celular e quem resiste até o final. O vencedor pode, por exemplo, ficar isento de pagar a conta do jantar, um prêmio merecido, porque a dependência do celular está baseada na premissa da urgência: não podemos esperar para ler, responder, interagir, publicar. Todos os estímulos precisam ser respondidos instantaneamente, todos os marshmallows precisam ser devorados assim que surgem diante de nossos olhos.

QUE MOMENTO EXCLUSIVO,
ÍNTIMO E PESSOAL.
FLASH!
FLASH!

CAPÍTULO 7

# FUI LÁ E FIZ

# A EXPERIÊNCIA DE FICAR TOTALMENTE OFF-LINE

QUANDO COMECEI A escrever este livro, questionei a minha própria relação com o celular, que já tem mais de um quarto de século. (Sim, eu poderia dizer vinte e tantos anos, mas achei que ficaria mais dramático assim. Drama é a linguagem das redes sociais, todo mundo que usa celular sabe.)

Eram muitas as perguntas que eu fazia a mim mesma. Será que posso ser considerada dependente do meu celular? Qual foi a última vez que passei um dia inteiro sem usá-lo? Eu já passei algum dia sem ele? Ou devo dizer "eles"? Sim, porque há muitos anos eu tenho dois celulares. E quando foi que eu decidi ter dois celulares? E por quê? Na verdade eu tenho duas linhas de duas operadoras diferentes, mas aparelhos, contando com aquele bem velhinho, eu tenho... quatro? Meu Zeus, por que uma pessoa teria quatro aparelhos celulares, mesmo contando com dois modelos antigos? Doutor, eu sou normal?!?!?

Para tentar responder a algumas delas, ou pelo menos para avaliar minha relação com o smartphone, achei que seria melhor partir para uma vivência na prática em vez de procurar apenas apoio teórico. Aproveitei que meu marido queria fazer um retiro e me inscrevi com ele num programa de cinco dias de meditação, yoga, silêncio, comida vegetariana e detox digital, bem longe de casa. Mais precisamente, do outro lado do mundo, no Phuket Meditation Center na Tailândia.

E precisa ir tão longe para desligar o celular e meditar? Não, não precisa. Mas certamente a mudança total de hábitos num lugar distante da nossa realidade nos ajuda muito a tomar consciência da vida que levamos até aqui e a questionar se essa é a vida que queremos levar daqui para a frente.

Fato é que fomos para Phuket em busca dessa nova experiência em fevereiro de 2018. Vou contar brevemente como foram esses cinco dias sem conexão e sem celular na mão.

## Primeiro dia – "Palívio"

Ficamos hospedados no hotel onde o curso estava baseado, mas havia a opção de hospedagem em outros lugares. Chegamos no dia e horário combinados para receber as instruções da semana. O professor, Tobi Warzinek, um suíço que dedicou sua vida aos estudos do budismo tibetano e à meditação, distribuiu uma apostila e um folder com instruções gerais e um texto básico sobre meditação, para o pequeno grupo de sete alunos: uma bancária kuwaitiana, um professor sérvio, um empreendedor suíço, um casal de australianos, meu marido e eu.

Tobi conversou com cada aluno, tirou dúvidas. Em seguida, pediu que desligássemos todos os nossos aparelhos eletrônicos durante os cinco dias do programa. Nada de TV, rádio, celular, nada de ler livros eletrônicos ou físicos, nada de ouvir música, nada de distrações. Nada de álcool, drogas ou qualquer outro tipo de elemento tóxico, dizia a apostila. Recebemos uma sacola com um colchonete de yoga e uma almofada e combinamos de nos encontrar para o jantar, servido pontualmente às seis da tarde.

Assim que cheguei no quarto, peguei os dois celulares que estavam na minha bolsa. Sim, levei os dois, um que fica com o chip brasileiro, apenas para emergências, e outro que fica com o chip local para usar a internet o tempo todo. Mandei uma mensagem no grupo da família avisando que a partir daquele momento eu ficaria totalmente desconectada e só voltaria a ligar os aparelhos no quinto dia. Meu marido deixou o telefone do hotel para qualquer eventualidade e, com grande dor no coração, desliguei os dois aparelhos e vi as suas lindas telas coloridas escurecendo para uma longa noite.

A primeira sensação foi de "palívio", palavra que inventei para expressar a sensação contraditória de pavor e alívio ao mesmo tempo. Pavor, por não saber como viver tanto tempo fora do ar; e alívio, por não precisar cuidar desse amigo querido, que é muito bacana, mas um tanto quanto exigente.

Administrar um celular o tempo todo consome uma boa parte da nossa banda mental. Primeiro, porque, como um tamagotchi, ele precisa ser sempre alimentado para não morrer. Manter o celular carregado exige não apenas o carregador, mas o cabo, uma tomada e, em muitas ocasiões, um adaptador. No meu caso, que uso aquelas capinhas com bateria extra, significa levar mais cabos de conexão para manter as baterias cheias. Segundo, porque o celular tem atualizações do sistema operacional e dos aplicativos que exigem conexão em wi-fi. E ainda tem sempre a decisão de onde colocar o celular: levar na bolsa, no bolso, na bolsinha, segurar na mão, apoiá-lo sobre a mesa, sobre a bancada, na porta do carro, lembrar de não esquecê-lo, evitar contato com a água, não deixar muito tempo no sol. São cuidados sistemáticos que obrigam nossos neurônios e mãos a um trabalho constante. E isso sem contar todo o tempo que usamos para produzir conteúdo e interagir em todas as redes sociais.

Pois desliguei todo mundo com aquele gesto.

Peguei a apostila e comecei a ler sobre meditação, em silêncio, totalmente desfocada do texto. Minha mente viajava pensando em tudo o que eu perderia a partir daquele instante. As novidades, as notícias, os joguinhos, os grupos, as redes sociais. E a minha câmera de foto e vídeo. Eu não poderia fotografar nada! Nem pessoas, nem paisagens, pratos, detalhes. E como eu veria as horas? A previsão do tempo? Como acordar às cinco da manhã sem meu despertador?

Respirei fundo e fui jantar, curiosa para saber como seria o prato vegetariano tailandês e o restante daquele primeiro dia off-line.

O prato era picante, minha boca ficou em chamas. Além de um extintor de incêndio, o que eu mais queria naquele momento era xingar muito no Twitter. Não tinha nem um, nem outro. Me concentrei em observar o que estava acontecendo comigo e negociar uma trégua com minhas papilas gustativas. Em silêncio, fui ler a apostila no quarto e assim adormeci, sem tirar foto da lua.

## Segundo dia – Morning Glory

Na manhã seguinte, acordei com a campainha do telefone fixo do quarto tocando alto. Sem celular para me despertar, tive de pedir para ser acordada às cinco horas em ponto.

Para saber a previsão do tempo sem o aplicativo, abri um dispositivo chamado cortina e olhei para fora da janela. Ainda estava escuro, mas não parecia que ia chover. Meu marido e eu nos arrumamos, sem saber a previsão da temperatura para aquele dia, apenas confiando que é sempre verão na Tailândia.

Pegamos o material para meditar e, em jejum, fomos todos para o ponto de encontro, onde uma van que parecia uma igreja, toda enfeitada por dentro, estava pronta para nos levar ao local da primeira prática de meditação.

Sentei ao lado de uma janelinha da van, tentando ver alguma coisa naquele fim de madruga ainda escura e tentando entender aonde estávamos indo. A maior parte das placas estava em tailandês, língua indecifrável para latinos em geral. Às vezes havia alguma coisa escrita em inglês, mas não dava para entender exatamente aonde estávamos indo.

Ficar sem o celular e sem conexão é muito, muito mais do que não ter contato com amigos e notícias de momento. É não ter acesso a nenhum tipo de informação, como geolocalização. Eu queria muito saber onde estava, que caminho era aquele, mesmo que fosse para postar mais tarde sobre esse passeio. Durante um bom tempo tentei ver coisas que eu pudesse lembrar mais tarde, marcos, nomes de hotéis, qualquer referência que pudesse ser pesquisada e encontrada no Google Maps. Mas o exercício de desapegar-se das coisas e dos desejos deve ser parte do programa de meditação, e lá estava eu, sem saber nem onde estava nem para onde iria, muito menos o que aconteceria comigo. Mais ou menos como a vida.

Quando a van parou, entendemos que estávamos perto do mar, no caminho para uma praia. Descemos todos, pegamos nossas coisas e, liderados pelo professor Tobi e sua gentil esposa Pran, chegamos ao ponto escolhido, bem perto de uma praia linda, cujo nome eu não sabia por motivos que você-já-sabe.

Tão logo sentamos em nossos colchonetes na areia e o professor começou a dar as instruções, percebemos que a garota do Kuwait estava mexendo em seu celular. Num tom muito elegante, o professor pediu a ela que desligasse o aparelho. E a aula transcorreu normalmente, se é que se pode chamar de normal uma aluna levantar no meio da meditação e sair para passear com o celular na mão.

Fiz a prática, com certa dificuldade de ficar totalmente imóvel, mas consegui terminar a meditação. Confesso que estava morrendo de fome e louca para quebrar o jejum, que se prolongava desde as seis da tarde do dia anterior.

Depois da aula, andei pela praia, sentindo a areia nos pés, o vento no rosto, ouvindo os sons das famílias brincando e jogando o olhar no horizonte. Aquela praia sem nome era realmente muito bonita.

Finalmente voltamos para a van rumo à primeira refeição do dia às 9h30 da manhã. Não vou dizer que foi tranquilo ficar sem celular nesse momento, porque é justamente na primeira refeição do dia que, há mais de dois anos, costumo capturar meus primeiros monstrinhos de Pokémon do dia, mas certamente foi mais fácil que comer omelete de claras com tofu, salada e arroz integral no café da manhã. Porém, como a aceitação da realidade é um dos passos do processo, abri mão do hábito dos joguinhos e de reclamar das coisas e fui praticar meditação até a hora do almoço.

No menu do almoço tinha uma opção de salada de um ingrediente chamado Morning Glory. Eu não sabia o que era e a moça que nos atendia não sabia explicar. Sem Google para pesquisar, tive que pedir outra coisa. Achei bem estranho ter de conviver com uma dúvida sem poder saná-la com uma simples pesquisa na internet.

Depois do almoço, voltei para o quarto e fiquei muito feliz de ver e ouvir passarinhos na janela, piando em tailandês. Passei um tempo observando seus movimentos e ouvindo seus sons, meditei e depois descansei até a hora da aula de yoga.

Assim que a professora entrou na sala lamentei não poder fotografar aquela mulher e postar fotos com as hashtags #deusa #diva #ícone #fada. A instrutora de yoga era absurdamente forte, bonita e carismática. A aula foi longa e exaustiva. Fiquei muito feliz ao receber uma água de coco no final da aula. Se eu tivesse acesso ao Instagram, teria postado a foto do coco com a legenda "Gratidão!".

Depois do banho, fomos para a segunda meditação do dia, seguida de uma palestra e jantar às seis da tarde.

Terminei o segundo dia sem celular um pouco mais concentrada e aceitando melhor a desconexão. Senti saudade de falar com meus filhos, mas esperei passar. Meditei por meia hora e dormi como um menir.

## Terceiro dia – Quantas Europas cabem no Brasil?

No terceiro dia o jejum de comida e de smartphone já estava bem mais tranquilo de encarar. Até a hora de descer da van. Porque, assim que peguei minha sacola e olhei ao redor, vi o que talvez pudesse chamar de o mais lindo amanhecer que já vi na vida. A Tailândia é absurdamente bonita. Mas aquele raiar do dia na praia era algo especial, como se todos os tons de violeta, lilás, rosa e laranja encontrassem os verdes azulados da água cristalina do mar, entre a areia e a vegetação.

Fiquei parada, contemplando aquele quadro, pensando no quanto aquele momento seria mesmo inapreensível por qualquer lente. Nem adiantaria ter o celular naquela hora. Qualquer tentativa de enquadrar aquela imagem seria perder tempo de vivenciá-la. Ali tive um insight intenso sobre viver o momento e registrar o momento. Meditamos, vimos o dia nascer, caminhamos e voltamos ao hotel para as refeições e atividades.

Quem não deve ter tido o mesmo insight foi nosso colega suíço, que levou o celular e fotografou o amanhecer em todos os ângulos.

No almoço desse terceiro dia algo divertidíssimo aconteceu. Ao falar da extensão territorial do Brasil, meu marido fez uma comparação clássica entre o tamanho do nosso país e a Europa, dizendo que, tirando a Rússia, a soma de todos os países europeus caberia quatro vezes dentro da área do Brasil. O sérvio e o suíço ficaram indignados, disseram que era impossível! Eu disse que caberia umas duas vezes, mas não quatro. Começamos uma discussão engraçada usando os mapas e vivências das nossas cabeças e percebemos que, sem acesso à internet, nenhum de nós tinha certeza de nada, como se todo conhecimento fosse superficial, sem muita certeza. Que falta faz o Google, minha gente.

Entre o almoço e a aula de yoga, entrei na piscina para praticar a atenção plena, o mindfulness, sentindo a água e prestando atenção em todos os meus movimentos e o meu redor. O contrário de mindfulness é mindlessness, que é mais ou menos como levamos a nossa vida, com a cabeça no mundo da lua e sem prestar atenção ao que estamos fazendo.

Foi a prática da atenção plena que me ajudou a olhar bem os pratos dos colegas durante o almoço e fazer uma boa escolha da refeição no jantar, uma sopa de curry verde muito saborosa e nada apimentada.

Nada como jantar às seis da tarde e dormir às oito da noite com a barriguinha feliz.

## Quarto dia – Curtir sem joinha

Sabe quando você está indo bem num tratamento e, de repente, tem uma recaída? Foi o que aconteceu comigo. No quarto dia eu quase liguei meu celular. Deu uma vontade louca de saber alguma notícia, qualquer coisa. Até fake news eu estava aceitando. Há mais de trinta anos ouço rádio diariamente, praticamente o dia inteiro, em diferentes plataformas, como o aplicativo do telefone, desde o momento em que acordo. E foi o hábito de tomar banho com o aplicativo de rádio ligado no celular que quase me traiu. Cheguei a pegar o celular, olhei para ele, comecei a negociar com meu "eu" interior e, com muita dificuldade, resisti. Fiquei feliz por manter minha decisão.

A excursão na van nos levou para o alto de uma montanha, ao lado de um farol de onde se podia ver as praias, cujas coordenadas só o Google sabe. A paisagem belíssima, um círculo imenso de estátuas de elefantes com flores, os passarinhos, tudo era extremamente fotografável. Vi turistas tirando selfies e senti uma pontinha de vontade de fazer o mesmo.

Sentei no meu colchonete, meditei e me acalmei. Pelo menos até encontrar minhas coisas tomadas por formigas. No desespero, de uma forma nada budista, espantei algumas um tanto quanto violentamente, gerando algumas baixas no formigueiro.

Na volta do passeio vi uma família de búfalos no terreno atrás do meu quarto. Fiquei assistindo aos amigos quadrúpedes pastando tranquilamente, ouvindo os pássaros e vendo a movimentação das formigas comendo a maçã que ofereci a elas, como pedido de desculpas pelas amigas tombadas. A Tailândia é um país budista e toda vida é respeitada, incluindo insetos.

Foi o melhor dia. Já adaptada ao ritmo, curti a comida mesmo sem dar "joinha" no Facebook, acompanhei a aula de yoga com bom desempenho e me lembrei da paisagem do alto da montanha onde consegui meditar e ficar confortável com o corpo imóvel.

Imaginei quantos stories eu teria feito se o celular estivesse ligado.

## Quinto dia – De volta

O quinto e último dia teve meditação num templo perto do mar, onde vida e morte convivem num único ciclo. Entre estátuas de deusas, plantas e laguinhos, encontrei uma viela com muitos túmulos, por onde passeavam cachorros do templo, todos em harmonia.

Depois da meditação, o mestre fez uma longa palestra de despedida. Um dos principais temas era a generosidade. "Seja gentil com você mesmo" era a lição em torno da qual tudo orbitava. Porque, muitas vezes, na busca por um bom objetivo, como meditar ou abrir mão de sentimentos ruins, cobramos nosso sucesso com muito rigor.

Aceitar com gentileza as próprias limitações e dificuldades é o primeiro passo para aprender a tratar os outros da mesma forma. E isso vale para tudo, seja conseguir ficar sentado, imóvel, por meia hora, ou tentar ficar 10 minutos sem usar o celular. A ideia é experimentar, tentar, observando a si mesmo e vendo as nossas reações diante da dificuldade, e não ficar irritado porque não se saiu bem. "Seja gentil consigo mesmo", o mestre repetia. Curiosamente, ao ouvir isso, um leve sorriso se abria em todos.

De volta ao hotel, fizemos as refeições juntos e, antes de encerrar as atividades de forma definitiva, o professor conversou com todos os alunos, um por um. A proposta era que cada um escrevesse num papel um projeto de 21 dias de meditações diárias, criando um propósito, como "quero conseguir meditar por 30 minutos". Juntos, cada aluno e o professor desenhavam para aumentar os minutos de meditação dia por dia, até chegar a meia hora. Ele sugeriu comprar um bonito caderno em branco, um diário, e anotar as sensações de cada dia.

Esse método, de criar uma meta pessoal e anotar em papel, à mão, as dificuldades, as conquistas e os sentimentos, tem se provado eficiente em muitos desafios e busca de objetivos, seja emagrecer, conseguir meditar ou fazer um detox digital. O fato de registrar o que se fez cria uma espécie de compromisso que nos leva adiante.

Depois da conversa com o mestre, meu marido e eu nos arrumamos, fizemos as malas e, finalmente, peguei meu celular com o chip local e liguei-o.

Esperei a tela inicial aparecer, digitei a senha e fiquei olhando os aplicativos. O que eu abriria primeiro? O WhatsApp, para avisar a família que eu estava novamente comunicável? O Google, para pesquisar as dúvidas acumuladas? O Twitter, para contar minha experiência? Ou o Instagram, para postar uma selfie ou vídeos no stories dando um alô para os amigos?

Escolhi o WhatsApp para recomeçar. Depois postei no Twitter e no Stories. E fui direto para o Google.

Descobri que a praia do primeiro dia se chama Nai Harm, que Morning Glory é uma folha muito comum na culinária da Ásia, traduzida como espinafre-de-água ou couve-do-pântano. Que a professora de yoga se chama Kim White e tem fotos dela na rede. E que, tirando a Rússia, a Europa cabe inteira dentro do Brasil uma única vez, e sobra muito espaço.

Saí do quarto feliz e capturei um Pokémon.

Fim do retiro.

***

Sei que "vá até um retiro na Tailândia e aproveite para fazer um detox digital" não é exatamente um conselho que faça sentido, até porque não é o lugar ou a distância que geram consciência ou alteração de comportamento em relação aos nossos excessos. O que é possível e pode ser feito a qualquer momento é brincar com essa experiência de ficar sem o celular como agente mediador de tudo em nossa vida.

Sem contar para ninguém, sem assinar um contrato, sem pressão, você pode apenas inventar uma pequena regra para seguir, como um jogo, no sentido de tentar observar seu próprio comportamento diante da abstinência. Escolha um caderno, um diário, faça um blog e comece a relatar seus sentimentos ao ficar sem celular voluntariamente.

Digamos que você crie um desafio de ficar 30 minutos sem mexer no celular. Sempre no mesmo horário. E, durante uma semana, a cada dia, você acrescenta mais 10 minutos. Você vai de 30, para 40, 50, até que, no sétimo dia, você tentará ficar 90 minutos, uma hora e meia sem pegar no seu celular. Se achar muito fácil, invente um jogo com intervalos mais longos. Ou tente passar um domingo sem o celular.

Observe o que você faz nesses momentos desconectados, o que você busca, com o que você se entretém. Ou, se, como o professor comentou no curso do retiro, você tem coragem de encarar o ócio, o não fazer nada. Porque o ócio e o tédio também fazem parte da vida e podem ser vividos sem o desespero de procurar alguma coisa para entreter sua mente.

Como na história do mestre zen que continua enchendo a xícara de chá de seu discípulo mesmo depois que ela transborda como uma cachoeira, nossa mente também fica inundada de entretenimento.[58] Abra um pouco de espaço em sua mente, para que mais chá possa ser colocado. É um bom começo.

**Lucas Salles**
ator, humorista, roteirista e apresentador

O ano era 2016. Estava eu olhando meu celular novo, um iPhone 7 recém-comprado, quando, do nada, minha cadelinha Pipoca pulou no meu colo e fez com que o celular caísse no chão. Pelo barulho, achei que não havia acontecido nada de mais. Peguei o aparelho e olhei calmamente. Nenhum trinco. Perfeito. Ainda continuava novo e eficiente. Pelo menos era o que eu achava...

Minutos depois, pego para ligar e... e... e... não completa a chamada. Diz que eu estou sem chip. Como todo bom ser humano inteligente, desligo o celular, retiro o chip, assopro e ligo de novo. Nada. O celular diz que não tem chip. Continuo a repetir a operação diversas vezes, até funcionar. Nada.

Começo a ficar bem preocupado, pois no dia seguinte tinha uma viagem a trabalho para o Rio e não havia a menor possibilidade de ficar sem celular. Imagina! Como a gente sobrevive sem Waze, Twitter, Facebook, Instagram? Se eu não tiver acesso às minhas redes sociais, como é que as pessoas saberão que eu estou comendo no Paris 6 e indicando uma peça ruim só porque um dos meus melhores amigos está atuando nela? Não existe esta possibilidade.

A noite se aproxima e, sem muitas expectativas de que o celular volte ao normal, começo a planejar o dia seguinte sem ele. A primeira providência era comprar um cartão para orelhões. Será que isso ainda existe hoje em dia? Existe. Segundo, anotar em um caderninho de bolso, emprestado pela minha esposa, os telefones importantes para o dia que viria. Anotei, primeiro, o da minha esposa (que até hoje eu não decorei). Depois anotei o número da minha produtora no Rio, para a qual eu ia trabalhar. Em seguida, o telefone da minha própria casa QUE EU NÃO SABIA QUE TINHA. Minha mulher que me avisou na hora que tínhamos um telefone fixo. MEU, TIPO ASSIM, QUEM AINDA TEM TELEFONE FIXO?

Com o caderninho e o cartão para o orelhão, fui dormir preocupado com o dia seguinte. Acordei atrasado e saí correndo para o aeroporto. Quando chego correndo para imprimir o ticket, descubro com a atendente que o voo atrasou e que só irei embarcar daqui a uma hora e meia. "Você não viu a mensagem que mandamos para o seu celular?" Não, caralho. Não vi porque estou sem celular. Obrigado por me lembrar disto.

Consegui ligar de um orelhão para a produtora no Rio e avisei do atraso. Cheguei no Rio, saí correndo para pegar um táxi (sim, eles ainda existem e você não precisa de celular para pedir um, graças a Deus) e quando cheguei no endereço, a produtora me olhou sem entender nada.

– Lucas? Você não viu a mensagem que eu te mandei?

Meu cu fecha na hora.

– Que mensagem?

– O cliente pediu para gravarmos só semana que vem. Ele acabou de desmarcar com a gente, tem umas duas horas. Eu tentei te ligar, mas não consegui. Aí te mandei mensagem dizendo que não precisava mais vir hoje!

Não tenho palavras para descrever a minha raiva no momento. Mas sabe o que eu fiz? Como meu voo de volta para São Paulo era só à noite, fiz uma surpresa para minha mãe, fui até a casa dela, a levei para almoçar, conversamos sobre todo mundo, sobre a minha prima que largou a faculdade para fazer teatro, até sobre a família dos outros nós falamos. Depois disso, fomos até a casa da minha avó fazer uma surpresa para ela também. A velha amou. Chorou e tudo. Mais uma vez, conversamos sobre todo mundo, até sobre a minha prima que largou a faculdade para fazer teatro. Éramos só nós três, nenhum celular.

Sem que eu percebesse, o tempo passou rápido e logo chegou minha hora de embarcar de volta para São Paulo. Me despedi com o coração alegre. Aquele tinha sido um dos melhores dias da minha vida. Eu estava na minha cidade natal, com pessoas que eu amo muito e podendo comer e me divertir com elas. A gente nem ligou a televisão! Era só conversa mesmo. Do tempo bom, que tinha conteúdo e tudo!

Fui embora para São Paulo e cheguei alegre em casa. Minha esposa não acreditou como eu tinha mudado tanto, do desesperado pelo celular para um cara pleno e calmo... Cheguei feliz e nem fui ver o celular que tinha deixado em cima do criado-mudo – e que no dia seguinte foi para o conserto e em alguns segundos já estava de volta ao normal.

Minha avó viria a falecer uma semana e meia depois daquele nosso encontro surpresa. Ou seja, se eu estivesse com o meu celular, teria recebido a mensagem da produtora e não teria gastado o meu "valioso" tempo indo ao Rio para "fazer nada". Só que eu fui. E, sem celular, apareci de surpresa na casa onde fui criado e pude ter um momento a sós com a minha progenitora. E foi ela que me levou para falar com a minha avó que eu amo tanto! Com o celular, nada disso teria acontecido e eu não teria conseguido me despedir dela.

Eu sei que o celular nos ajuda muito. Muito mesmo. Não sei se conseguiríamos ter uma vida tão boa quanto a que temos sem ele. Mas às vezes, só às vezes, acredito que se não abraçarmos pessoalmente aqueles que amamos, nada adiantará. Hoje eu não consigo mais lembrar da minha avó sem pensar naquela tarde que passamos juntos. Sou totalmente grato a Pipoca por ter pulado no meu colo e me dado a oportunidade de aproveitar o meu dia com as pessoas que eu amo.

Saudade, vó! Muita saudade!

QUADRINHOS DOS ANOS 10
DESLIGUEI MEU CELULAR PARA SEMPRE, ODETE.
E COMO VOCÊ VAI SE COMUNICAR COMIGO, ABELARDO?
DA MELHOR FORMA POSSÍVEL.

# CONCLUSÃO

ANTES DE MAIS nada, muito obrigada por ter chegado até aqui. Um livro, seja ele impresso em papel, disponível em arquivo eletrônico ou em qualquer outro suporte, é um objeto inerte, que só ganha vida quando alguém decide ler seu conteúdo. Só aí a mágica acontece.

Um livro de não ficção, como é o caso deste, exige muito não só de autores e editores, constantemente buscando informação precisa e atualizada para enriquecer o conteúdo, mas também do leitor, porque não há uma história que conduza para o mundo da imaginação e do entretenimento. Ao contrário. A cada linha, a cada parágrafo, oferecemos a você mais e mais dados de realidade. E fazemos isso sabendo que muito provavelmente, enquanto você lê, seu celular está logo ali, pronto para receber todos que quiserem fugir dessa mesma realidade. Por isso a gratidão a você é ainda maior.

No processo de escrever este livro, descobri que foi muito mais difícil terminá-lo do que começá-lo. Porque desde o início sempre tivemos um propósito: convidar você a refletir sobre a forma como estamos administrando nosso tempo, relacionamentos, conteúdos, desde que esse aparelho tão essencial entrou de forma tão intensa e definitiva em nossas vidas. Porém, por essa pauta ser tão atual e por afetar tanta gente, é imenso o número de artigos, estudos, pesquisas e reportagens divulgados a cada dia, o que gera um desejo de atualizar o livro o tempo todo. Por exemplo, durante a redação deste livro estourou o escândalo envolvendo Facebook e Cambridge Analytica, expondo quanto os dados pessoais dos usuários estão sendo usados para finalidades comerciais e políticas, assunto abordado no Capítulo 6. Alguns meses depois, o Google anunciou um pacote de recursos batizado de "Bem-estar digital", que tem por objetivo justamente discutir o equilíbrio da nossa relação com o celular e combater o vício, por meio de aplicativos que nos mostram como estamos gastando nosso tempo interagindo com o aparelho, e recursos que nos tornam "indisponíveis" para notificações.

Felizmente, nesse momento a fada do bom senso sempre aparece para me ajudar, argumentando que um livro não é uma linha do tempo de uma rede social e, por isso, precisa ter um final.

E esse final vem sob forma de questionamento: estamos certamente mais informados, mais espertos, mais monitorados, mais ágeis e mais seguros tendo nossos smartphones sempre à mão, mas será que estamos mais felizes? Será que, no processo de absorção dessa excelente tecnologia, não nos perdemos um pouco? Será que essa dedicação contínua aos nossos relacionamentos via celular não está nos privando de contatos físicos com pessoas importantes que estão à nossa volta? E talvez a pergunta mais importante: esse tempo todo que passamos no celular, fazendo seja lá o que for, é fruto de uma opção consciente, ou estamos apenas nos deixando levar, porque já não conseguimos mais ficar longe dele?

Essas perguntas importam, mesmo que você não tenha as respostas agora. Questionar o próprio comportamento é a grande ferramenta de quem quer ter mais qualidade de vida. Todo o grande movimento moderno em busca de alimentação saudável, exercícios físicos regulares, práticas que resultem em mais equilíbrio psíquico, tem por base uma postura consciente que nos leva a melhores escolhas.

Por que não fazer uma opção consciente toda vez que pegar o celular? Só para ter certeza de que, naquele momento em que chega uma notificação qualquer no meio de uma conversa, você quer mesmo interromper o diálogo para ver um comentário numa foto. Se é isso mesmo que você quer, ótimo, vá em frente. Se, ao contrário, você não queria responder ao estímulo, mas fez isso de forma automática apenas porque não conseguiu evitar a compulsão, talvez seja interessante pensar em rever esse comportamento.

Todos sabemos que fazer afirmações sobre tecnologia é complicado, porque muita coisa nasce, fica obsoleta e morre. Mas, no momento, parece fazer sentido dizer que o celular veio para ficar. Se um dia ele deixar de existir, não será agora, até porque é difícil conceber alguma coisa para substituir tudo o que ele nos traz. Ou, como previu o brasileiro que criou os óculos da Microsoft Hololens, Alex Kipman, o celular poderá ser substituído pela realidade mista, uma combinação de imagens reais e virtuais. Ou implantes cerebrais, talvez, vai saber.

Por ora, enquanto o celular se torna cada vez mais imprescindível, vamos continuar morando dentro dele, no nosso celular, doce lar. Mas lembre sempre a esse seu grande amigo que é você quem manda em casa. E que a tela do seu celular não é uma porta para fugir da realidade, e sim uma nova janela para olhar o mundo.

# NOTAS

## Capítulo I

1 Disponível em https://www.lifewire.com/how-many-apps-in--app-store-2000252, acessado em 28/05/2018.

2 Disponível em https://www.statista.com/statistics/266210/number-of-available-applications-in-the-google-play-store/, acessado em 28/05/2018.

3 Disponível em https://www.flickr.com/photos/queridoleitor/albums/72157613006366685, acessado em 28/05/2018.

4 Disponível em http://www.independent.co.uk/life-style/gadgets--and-tech/news/there-are-officially-more-mobile-devices-than--people-in-the-world-9780518.html, acessado em 28/05/2018.

5 Disponível em http://www.slate.com/articles/technology/technology/2017/11/how_to_stop_phone_from_tracking_location_android_latest_to_prove_you_should.html, acessado em 28/05/2018.

6 Disponível em https://www.washingtonpost.com/news/wonk/wp/2017/11/15/politics-really-is-ruining-thanksgiving-according--to-data-from-10-million-cellphones/?utm_term=.16e863e15e8f, acessado em 28/05/2018.

7 Disponível em https://www.tecmundo.com.br/google/109776-smartphone-grava-conversas-voce-saiba.htm, acessado em 28/05/2018.

## Capítulo 2

8 Disponível em http://www.rankbrasil.com.br/Recordes/Materias/06pw/Primeiro_Celular_Comercializado_No_Brasil, acessado em 30/05/2018.

9 Disponível em https://rosanahermann.wordpress.com/2003/08/20/80607/, acessado em 01/06/2018.

## Capítulo 3

10 Disponível em http://edition.cnn.com/2014/09/15/world/asia/china-cellphone-sidewalk/index.html, acessado em 01/06/2018.

11 Disponível em https://blog.dscout.com/mobile-touches, acessado em 01/06/2018.

12 Disponível em https://exame.abril.com.br/ciencia/cerebro-muda-de-acordo-como-e-usado-diz-neurocientista/, acessado em 01/06/2018.

13 Disponível em https://www.npr.org/sections/thetwo-way/2014/11/20/365473750/keep-your-head-up-text-neck-can-take-a-toll-on-the-spine, acessado em 01/06/2018.

14 Disponível em https://www.statista.com/chart/9539/smartphone-addiction-tightens-its-global-grip/, acessado em 01/06/2018.

15 Disponível em http://vogue.globo.com/beleza/saude/noticia/2018/01/text-neck-sindrome-postural-cresce-na-velocidade-das-redes-sociais.html, acessado em 01/06/2018.

16 Disponível em http://edition.cnn.com/2014/11/20/health/texting-spine-neck-study/index.html, acessado em 01/06/2018.

17 Disponível em http://www.hong.com.br/text-neck-dor-

-cervical-celular-smartphone-prejudica-coluna/, acessado em 01/06/2018.

18 Disponível em https://mednet-sp3.com.br/text-neck-conheca-a-sindrome-do-pescoco-de-texto-ou-pescoco-tecnologico/, acessado em 01/06/2018.

19 Disponível em http://emais.estadao.com.br/noticias/bem-estar,luzes-de-celular-e-de-computador-podem-causar-danos-irreversiveis-a-visao,70001872327, acessado em 01/06/2018.

20 Disponível em http://www.bbc.com/portuguese/noticias/2014/04/140401_uso_excessivo_smatphone_prejudica_vista_an, acessado em 01/06/2018.

21 Disponível em http://g1.globo.com/bemestar/blog/longevidade-modo-de-usar/post/oftalmologia-se-prepara-para-atender-aos-novos-velhos.html, acessado em 01/06/2018.

22 Disponível em https://vivabem.uol.com.br/noticias/redacao/2017/12/05/miopia-pode-atingir-metade-da-populacao-mundial-ate-2050-entenda-porque.htm, acessado em 01/06/2018.

23 Disponível em https://g1.globo.com/sao-paulo/semana-nacional-transito/noticia/celular-e-a-terceira-maior-causa-de-mortes-no-transito-no-brasil-diz-pesquisa.ghtml, acessado em 01/06/2018.

24 Disponível em http://www.portaldoholanda.com.br/celular/celulares-ja-aparecem-entre-os-presentes-de-natal-mais-pedidos-pelas-criancas, acessado em 01/06/2018.

25 Disponível em https://g1.globo.com/economia/tecnologia/noticia/celular-antes-de-dormir-afeta-sono-hormonios-e-desenvolvimento-infantil.ghtml, acessado em 01/06/2018.

26 Disponível em https://techcrunch.com/2016/05/19/the-average-age-for-a-child-getting-their-first-smartphone-is-now-10-3-years/, acessado em 01/06/2018.

27 Disponível em https://www.good.is/articles/bill-gates-cellphones-kids, acessado em 01/06/2018.

28 Disponível em https://www.mpfs.de/studien/kim-studie/2016/, acessado em 01/06/2018.

29 Disponível em http://journals.sagepub.com/doi/10.1177/1461444814567986, acessado em 01/06/2018.

30 Disponível em https://edition.cnn.com/2017/12/11/health/cell-phones-for-kids-parenting-without-borders-explainer-intl/index.html, acessado em 01/06/2018.

31 Disponível em https://www.bloomberg.com/news/articles/2018-01-08/jana-calpers-push-apple-to-study-iphone-addiction-in-children, acessado em 01/06/2018.

32 Disponível em https://edition.cnn.com/2016/05/03/health/teens-cell-phone-addiction-parents/index.html, acessado em 01/06/2018.

33 Disponível em http://www.bbc.com/news/technology-42705881, acessado em 01/06/2018.

34 Disponível em http://www.dw.com/en/100000-german-teenagers-addicted-to-social-media-study-finds/a-42783211, acessado em 01/06/2018.

35 Disponível em https://tecnologia.uol.com.br/noticias/redacao/2018/02/21/nao-existe-vicio-em-celular-e-sim-vicio-social-diz-pesquisador.htm?utm_content=geral&utm_campaign=twt-

-noticias&utm_source=t.com&utm_medium=social, acessado em 01/06/2018.

36 Disponível em https://www.scientificamerican.com/article/are-smartphones-really-destroying-the-lives-of-teenagers/, acessado em 01/06/2018.

37 Disponível em http://onlinelibrary.wiley.com/doi/10.1111/cdev.12930/full, acessado em 01/06/2018.

38 Disponível em https://theconversation.com/what-might-ex plain-the-unhappiness-epidemic-90212, acessado em 01/06/2018.

39 Disponível em https://www.scientificamerican.com/article/are-smartphones-really-destroying-the-lives-of-teenagers/, acessado em 01/06/2018.

40 Disponível em https://www.ccam-ascor.nl/images/stories/publications/Journal_PDF_ENG/2015/Development__of_AMES_-_VossenPiotrowskiValkenburg_PAID__2015.pdf, acessado em 01/06/2018.

41 Disponível em https://www.digitaltrends.com/mobile/teenagers-spend-9-hours-per-day-consuming-media/, acessado em 01/06/2018.

## Capítulo 4

42 Disponível em https://www.tecmundo.com.br/dispositivos-moveis/127787-sair-melhor-selfie-motivo-55-plasticas-nariz-2017.htm, acessado em 05/06/2018.

43 Disponível em https://g1.globo.com/rj/rio-de-janeiro/noticia/selfies-de-policiais-com-rogerio-157-viralizam-em-redes-sociais.ghtml, acessado em 05/06/2018.

44 Disponível em https://universa.uol.com.br/noticias/redacao/2018/03/11/blogueira-acumulou-r-35-mil-em-dividas-para-ter-vida-perfeita-no-instagram.htm, acessado em 05/06/2018.

45 Disponível em http://blog.sbnec.org.br/2009/05/o-que-o-cerebro-faz/, acessado em 05/06/2018.

## Capítulo 6

46 Disponível em http://markets.businessinsider.com/news/stocks/245-Billion-Weight-Loss-and-Weight-Management-Market-2017-2022-by-Equipment-Surgical-Equipment-Diet-and-Weight-Loss-Services-1005830884, acessado em 07/06/2018.

47 Disponível em http://time.com/magazine/us/4793878/june-5th-2017-vol-189-no-21-u-s/, acessado em 07/06/2018.

48 Disponível em https://www.theguardian.com/technology/2017/nov/09/facebook-sean-parker-vulnerability-brain-psychology, acessado em 07/06/2018.

49 Disponível em https://exame.abril.com.br/negocios/dino/o-mercado-de-200-bilhoes-de-dolares-que-voce-nao-sabe-mas-faz-parte/, acessado em 07/06/2018.

50 Disponível em https://www.axios.com/sean-parker-unloads-on-facebook-2508036343.html, acessado em 07/06/2018.

51 Disponível em https://www.theguardian.com/technology/2017/dec/11/facebook-former-executive-ripping-society-apart, acessado em 07/06/2018.

52 Disponível em https://www.theguardian.com/world/2017/dec/11/france-to-ban-mobile-phones-in-schools-from-september, acessado em 07/06/2018.

53 Disponível em https://www.fastcompany.com/40520843/silicon-valley-technology-regulate-gadgets-and-apps-like-cigarettes, acessado em 07/06/2018.

54 Disponível em http://humanetech.com/, acessado em 11/06/2018.

55 Disponível em http://www.techtudo.com.br/dicas-e-tutoriais/noticia/2011/05/faca-seu-android-enviar-avisos-automaticos-enquanto-voce-nao-puder-atender.html, acessado em 11/06/2018.

56 Disponível em https://pt.wikipedia.org/wiki/Experimento_do_marshmallow, acessado em 11/06/2018.

57 Disponível em https://www.youtube.com/watch?v=QX_oy9614HQ, acessado em 11/06/2018.

## Capítulo 7

58 Disponível em http://www.japaoemfoco.com/esvazie-sua-xicara-filosofia-zen/, acessado em 11/06/2018.

# AGRADECIMENTOS

ESTE LIVRO ME apresentou uma pessoa muito especial, Nana Vaz de Castro, da Editora Sextante. Sua firmeza, competência, conhecimento, seriam suficientes para fazer dela alguém admirável, mas além de ser uma profissional excepcional ela ainda é atenciosa, divertida e generosa. Escrever este livro sob seu "coaching" foi um aprendizado e um prazer.

Alessandra Ruiz foi outra parceira querida neste trabalho, depositando em mim uma confiança que nem eu mesma tenho para com minha pessoa. Obrigada por seus ensinamentos.

Obrigada também ao Andre Dahmer, que trouxe o talento preciso e genial de seus desenhos para ser parte deste livro. Foi impressionante ver a mágica que seus desenhos trouxeram, adicionaram uma nova dimensão.

Agradeço especialmente a todos os amigos e amigas a quem molestei com perguntas, discussões e pedidos e que, gentil e graciosamente, me atenderam, conversando, trocando ideias ou enviando suas histórias e experiências sobre a vida pós-celular. Minha lista de agradecimentos inclui as pessoas que mandaram textos e áudios que estão neste livro e, também, as que mandaram e não estão por questões de prazo, as que iam mandar e não puderam porque a vida é mesmo complicada. São elas:

Fábio Porchat, Luciano Huck, Bia Granja, Mauricio Meirelles, Miá Mello, Rafinha Bastos, Leo Jaime, Camila Pitanga,

Milton Jung, Paulo Coelho, Ricardo Feltrin, Raony Phillips, Thássius Veloso, Lucas Salles, Nilson Xavier, Bia Kunze, Cora Rónai, Rodrigo Rodrigues, César Filho, Mika Lins, Hugo Gloss, Dani Calabresa, Pedro Dória, Paulo Vieira, Denise Rossi, Marcelo Sebá, Pedro HCM, Cássia Godoy e a oftalmologista Marcela Cypel, que abriu um horário em sua agenda para me orientar em sua área de especialidade.

Meu muito obrigada a todos e, em especial, a você, que realiza a mágica de devotar vida e alma ao trabalho de todos nós com sua leitura.

Conheça outros livros da Editora Sextante

## CALMA

*The School of life*

Este é um livro que examina as maiores causas do estresse, oferecendo uma sucessão de argumentos convincentes e às vezes ironicamente cômicos para nos defender da raiva e do medo.

Calma faz parte da Coleção The School of Life, que traz livros sobre as questões mais importantes da vida emocional com o objetivo de entreter, educar, confortar e transformar.

Poucas habilidades são tão importantes e ao mesmo tempo tão negligenciadas quanto a capacidade de manter a calma. Quase sempre, nossas piores decisões são tomadas em momentos em que perdemos a calma e nos deixamos dominar pela ansiedade e a agitação.

Felizmente, nosso poder de permanecer calmos pode ser exercitado e aperfeiçoado. Não precisamos aceitar o estado atual das coisas: nossas reações diante dos desafios do dia a dia podem ser radicalmente transformadas.

E para nos educarmos na arte de manter a calma, não precisamos de técnicas respiratórias nem de chás especiais – mas apenas do pensamento.

# RELACIONAMENTOS

*The School of Life*

DE MANEIRA SUAVE e encantadora, este livro trata das principais questões dos relacionamentos – das discussões ao sexo, do perdão à comunicação – e assegura que o sucesso no amor nunca mais vai depender apenas da sorte.

Relacionamentos faz parte da Coleção The School of Life, que traz livros sobre as questões mais importantes da vida emocional com o objetivo de entreter, educar, confortar e transformar.

Poucas coisas nos prometem mais felicidade do que nossos relacionamentos – e poucas nos trazem tanto sofrimento e frustração.

Nosso erro é supor que já nascemos sabendo amar e que, portanto, administrar um relacionamento deve ser fácil e intuitivo.

Este livro parte de uma premissa diferente: o amor é uma habilidade a ser aprendida, não apenas uma emoção a ser sentida.

## ATENÇÃO PLENA (MINDFULNES)

*Mark Williams e Danny Penman*

COM 200 MIL exemplares vendidos, este livro e o cd de meditações que o acompanha apresentam uma série de práticas simples para expandir sua consciência e quebrar o ciclo de ansiedade, estresse, infelicidade e exaustão.

Recomendado pelo Instituto Nacional de Excelência Clínica do Reino Unido, este método ajuda a trazer alegria e tranquilidade para sua vida, permitindo que você enfrente seus desafios com uma coragem renovada.

Mais do que uma técnica de meditação, a atenção plena (ou mindfulness) é um estilo de vida que consiste em estar aberto à experiência presente, observando seus pensamentos sem julgamentos, críticas ou elucubrações.

Ao tomar consciência daquilo que sente, você se torna capaz de identificar sentimentos nocivos antes que eles ganhem força e desencadeiem um fluxo de emoções negativas – que é o que faz você se sentir estressado, irritado e frustrado.

Este livro apresenta um curso de oito semanas com exercícios e meditações diárias que vão ajudá-lo a se libertar das pressões cotidianas, a se tornar mais compassivo consigo mesmo e a lidar com as dificuldades de forma mais tranquila e ponderada.

Você descobrirá que a sensação de calma, liberdade e contentamento que tanto procura está sempre à sua disposição – a apenas uma respiração de distância.